LIANA DI MARCO

SPOLETO

Edito e stampato dalla

NARNI - TERNI

PRESENTAZIONE

Non è facile riassumere in poche righe tutto quello che il nome di Spoleto significa in campo storico, artistico e culturale.

Per molti Spoleto è sinonimo di «Festival dei Due Mondi», della manifestazione, cioè, che ogni anno al nascere dell'estate sconvolge positivamente la vita dell'antica città umbra, trasformando le tranquille viuzze e le piazze del centro storico in gallerie d'arte, boutiques d'antiquariato, luoghi di incontro artistico-musicali, e provocando con i suoi spettacoli teatrali ad alto livello l'arrivo di migliaia di persone da ogni parte d'Italia e dall'estero.

Ma Spoleto offre delle ricchezze insospettate al turista sprovveduto che per la prima volta sale a visitarla: la sua storia millenaria, gli splendidi monumenti, la persistente validità di un ambiente urbano ancora a misura d'uomo, e la schietta affabilità degli abitanti, da sempre ospiti cordiali dei «forestieri» visitatori.

Umbra fin dalle origini, Spoleto fu abitata almeno dal sec. VII a.C., come attestano antiche tombe risalenti all'età del ferro. Le mura poligonali del V-IV sec. a.C. dimostrano che si trattava di una città ben fortificata e munita, in posizione dominante sulla valle omonima. Diventata colonia romana nel 241 a.C., Spoleto si fece ben presto fiorente e ricca di monumenti.

Nell'alto medioevo la città visse il periodo forse più importante della sua storia, come capitale di uno dei più grandi ducati longobardi, tra il 570 e il 763, e poi del Regno d'Italia e dell'Impero dell'889.

Dopo la gravissima distruzione operata da Federico Barbarossa nel 1155, Spoleto passò sotto la giurisdizione dello Stato della Chiesa, pur mantenendosi libero Comune; ma durante il secolo XIV, nell'imperversare delle aspre lotte fra guelfi e ghibellini, dovette subire il dominio di Perugia, prima di poter tornare stabilmente sotto il controllo pontificio, ad opera del cardinale Albornoz, che fece costruire la splendida Rocca come sede dei governatori della città.

Dal rinascimento in poi Spoleto si trasformò progressivamente da centro prevalentemente strategico a centro culturale, con la fondazione dell'Accademia degli Ottusi, oggi Accademia Spoletina, l'opera di umanisti famosi, quali Gregorio Elladio, Pierleone Leoni, Severio Minervio, Pierfrancesco Giustolo, e di altri uomini illustri, come Loreto Vittori, Quinto Settano e Pietro Fontana. Dopo la dominazione francese, grazie alla quale fu a capo prima del Dipartimento del Clitunno e poi di quello del Trasimeno, Spoleto tornò nell'orbita dello Stato Pontificio nel 1814, per poi essere annessa al Regno d'Italia nel 1860.

Attualmente la città, dopo la perdita del ruolo secolare di «Caput Umbriae», è un centro artistico-culturale di rilevante importanza internazionale. Oltre ad ospitare il Festival dei Due Mondi, infatti è sede del Teatro Lirico Sperimentale, trampolino di lancio per i giovani cantanti lirici, e del Centro Italiano di Studi sull'Alto Medioevo, promotore di convegni e di valide pubblicazioni conosciute in tutto il mondo; inoltre di recente anche una sezione dell'Università per Stranieri di Perugia si è trasferita nella città.

La «vocazione» di Spoleto appare, dunque, prevalentemente culturale, anche se non in modo esclusivo, come attestano diverse piccole e medie industrie. Occorre, tuttavia, che questa già valida «vocazione» divenga realtà viva e operante con continuità, così che le attività culturali da periodiche e prevalentemente estive si trasformino in permanenti e dotate di effettiva consistente solidità, in modo da poter incidere significativamente sullo sviluppo economico della Spoleto di domani.

INTRODUCTION

It is not very easy to condense into a few lines what Spoleto means in terms of its history, art and culture. To many, Spoleto is a synonym for the «Festival of the Two Worlds», that event which every year, at the beginning of summer, completely disrupts the life in this ancient, Umbrian town, transforming the peaceful streets and squares of the historic centre into art galleries, antique shops, meeting-places for art-cum-musical encounters and thus, with these high-level theatrical displays, attracting thousands of people from alla over Italy and abroad. But the tourst arriving here for the very first time will remain quite enthralled with Spoleto's unsuspected riches, namely her millenary history, the spelndid monuments, the town planning that still proves valid today and the friendliness of the inhabitants, who have always shown much Kindness and hospitality to foreign visitors.

Spoleto is of Umbrian origin and was inhabited at least from the 7th century B.C., as the ancient tombs dating from the Iron Ages testify.

The polygon-shaped walls of the 5th-4th century B.C. clearly indicate just how the town was well-fortified and supplied with arms and situated in a dominating position over the valley of the same name. Spoleto became a Roman colony in the year 241 B.C. and very soon flourished and enriched itself with monuments.

During the Dark Ages, the town lived the most importan period in its history, as capital of one of the greatest Longobard Duchies, between 570 and 763, then that of the Kingdom of Italy and the Empiere in 889.

After the grave destruction caused by Federico Barbarossa in 1155, Spoleto passed under the jurisdiction of the Church State while still being a free commune. However, during the 14th century, with the bitter fighting that raged between the Guelfs and the Ghibellines, it had to submit to the dominion of Perugia, before returning to the stable Pontifical government thanks to Cardinal Alboroz, who commissioned the erection of the splendid fortress as the seat of the Town's governors.

From the Renaissance period onwards, Spoleto gradually transformed itself from a predominantly strategic centre to that of a cultural nature, with the foundation of the Ottusi Academy, known today as Spoletina Academy, the work of famous humanists such as Gregorio Elladio, Pierleone Leoni, Severio Minervio, Pierfrancesco Giustolo and other illustrious men, namely Loreto Vittori, Quinto Settano and Pietro Fontana.

After the French dominion, thanks to wich it headed first the Department of Clitumno and then that of Trasimeno, Spoleto came back into the spheres of the Pontifical State in 1814, to be then annexed to the Kingdom of Italy in 1860.

Today, having lost its secular role as «Caput Umbriae», Spoleto is an artistic and cultural centre of notable international renown.

Besides hosting the Festival of the Two Worlds, it is the seat of the Experimental Opera Theatre, the launching pad for young opera singers, and also the main Italian Centre of Studies on the Dark Ages, promoter of conventions and valid publications known throughout the world; recently, even a section of the Perugia University for Foreign Students has been transferred to the town.

Spoleto's «vocation» appears, therefore, to be prevalently cultural, even if not in an exclusive way, as demonstrated by the presence of various small and medium-siz industries. However, it is necessary that this valid vocation become an ever-increasing living and working reality, so that the periodic and normally summer cultural activities may be turned into permanent ones and given effective, consistent solidity, in such a way as to significantly affect the economic development of Spoleto of tomorrow.

PRESENTATION

Il n'est guère facile de résumer en quelques lignes tout ce que le nom de Spoleto peut signifier dans le domaine historique, artistique et culturel. Pour beaucoup, Spoleto est synonyme de «Festival des deux mondes» et donc de cette manifestation artistique qui, chaque année, au début de l'été, bouleverse littéralement la vie de l'ancienne cité ombrienne, trans formant les paisibles ruelles et les places de la vieille ville en des galeries d'art, des boutiques d'antiquités, des leiux de rencontres artistiques et musicales, ses représentations théatrâles provoquant l'arrivée en masse d'une foule de connaisseurs et amateurs des quatre coins du monde.

Mais Spoleto offre au-delà de tout des richesses insoupçonnées au touriste qui vient la visiter pour la première fois: son histoire millénaire, ses splendides monuments, la valeur indiscutable d'un milieu urbain encore à la taille de l'homme, l'accueillante amabilité de ses habitants, dont la cordialité enchante les visiteurs.

Cité ombrienne dès ses origines, Spoleto fut avec certitude habité dès le VII siècle av.J.-C., ainsi que l'attestent des tombes antiques remontant à l'âge du fer. Les remparts polygonaux des Ve-IVe siècles av.J.-C. prouvent qu'il agissait d'une cité solidement fortifiée, domiant amplement toute la vallée. Devenue colonie romaine en 241 av.J.-C., elle connut bientôt un remarquable essor et s'enrichit de monuments.

C'est au cours du haut moyen âge que la cité vécut sans doute la période la plus importante de son histoire, en tant que capitale de l'un des plus grands duchés lombards, entre 570 et 763, puis du «Regno d'Italia» et de l'Empire en 889.

Au terme de la dure destruction qu'entreprit Frédéric Barberousse en 1155, Spoleto passa sous la juridiction de l'Etat de l'Eglise, tout en restant commune libre. Mais durant le XIVe siècle, alors qu'éclataient sans cesse de nouvelles luttes entre guelfes et gibelins, la ville dut subir la domination de Pérouse avant que le cardinal Albornoz ne lui impose a nouveau d'une maniére stable le contrôle pontifical. C'est ce dernier personnage qui d'ailleurs ériger la plendide forteresse en tant que siège des gouverneurs de la ville.

A partir de la Renaissance, Spoleto abandonna progressivement son rôle de point stratġique pour devenir un centre culturel, avec la fondation de l'Académie des Ottusi, de nos jours Académie Spoletina, oeuvre de célèbres humanistes tels que Gregorio Elladio, Pierleone Leoni, Severio Minervio, Pierfrancesco Giustolo, et de bien d'autres hommes illustres comme Loreto Vittori, Quinto Settano et Pietro Fontana. Après la domination des Français, qui en firent le chef-lieu du département du Clitumne d'abord et du Trasimène ensuite, Spoleto repassa sous l'égide de l'Etat Pontifical en 1814, avant d'être enfin annexée au Royaume d'Italie en 1860.

Ayant perdu rîe sćulaire de «Saput Umbriae», la ville est de nos jours un centre artistique et culturel d'une importance considérable, même sur le plan international. Outre le fait qu'elle accueille le Festival des Deux Mondes, elle est également le siège du Théâtre Lyrique Expérimental, rampe de lancement pour les jeunes chanteurs d'opéra, et du Centre Italien d'Etudes du Haut Moyen Age, qui organise des débats et favorise la publication de recherches connues dans le monde entier; sisgnalons en outre que récemment une section de l'Université pour Etrangers de Pérouse a été transférée a Spoleto.

La «vocation» de Spoleto semble donc s'orienter essentiellement vers un essor culturel, malgré le développement industriel de petites et moyennes entreprises. Mais il serait toutefois souhaitable qu'une telle «vocation», déjà solidement affirmée par le biais d'activités culturelles périodiques et essentiellement estivales, devienne une réalité permanente et détermiante pour l'avenire économique de Spoleto.

EINFUHRUNG

Es ist nicht leicht, in wenigen Zeilen all das zusammenzufassen, was der Name Spoleto in geschichtlicher, Künstlerischer und kultureller Hinsicht bedeutet. Für viele ist Spoleto ein Synonym für «Festival zweier Welten», weil jedes Jahr zu Beginn des Sommers diese Veranstaltung das geruhsame Leben der antiken umbrischen Stadt reger werden läßt, und die stillen Gassen und Plätze des alten Siedlungskerns in Kunstgalerien, Antiquitätenhandlungen, Stätten von Kunst-und vor allem musikalischen Veranstaltungen verwandelt, weil zu den Theaterveranstaltungen von hohem Niveau Tausende Menschen aus allen Teilen Italiens und aus dem Ausland zusammenströmen.

Spoleto hat dem uneingeweihten Touristen, der zum erstenmal die Anhöhe hinaufsteigt, um es zu besichtigen, ungeahnte Reichtümer zu bieten: seine tausendjährige Geschichte, seine prächtigen Denkmäler, das Fortbestehen eines noch menschengerechten städtischen Gefüges und die aufrichtige Freundlichkeit seiner Bewohner, die den fremden Besuchern seit jeher mit herzlicher Gastlichkeit aufnehmen.

Spoleto ist seit seinem Ursprung umbrisch und war schon mindestens im 7. Jahrh. v. Chr. besiedelt, wie die antiken Gräber aus der Eisenzeit beweisen. Die vieleckigen Mauern aus dem 5.-4. Jahrh. v. Chr. zeugen davon, daß es sich um eine gut bewehrte Stadt in beherreschender Stellung über dem gleichnamigen Tal handelte 41 v. Chr. wurde sie zu einer römischen Kolonie und erwachte schon bald zu großer Blüte, auch wurde sie mit vielen Denkmälern bereichert.

Im hohen Mittelalter durchlebte Spoleto wohl den wichtigsten Abschnitt seiner Geschichte, als Hauptstadt eines der größten Herzogtümer der Langobarden: das war von 570 bis 763; dann folgten das Königreich Italien und 889 das Heilige Römische Reich.

Nach den argen Zerstörungen durch Friedrich Barbarossa (Kaiser Rotbart) im Jahr 1155 geriet Spoleto unter die Jurisdiktion des Kirchenstaates, wiewohl es eine Freistadt blieb, aber im Lauf des 14. Jahrhunderts, als die heftigen Kämpfe zwischen Welfen und Waiblingern entbrannten, unterlag es Perugia, noch ehe es bleibend an den Kirchenstaat angeschlossen wurde. Das verdankte es Kardinal Albornoz, der auch die prächtige Burg als Sitz der Gouverneure der Stadt erbauen ließ.

Von der Renaissance angefangen wurde Spoleto allmählich von einer strategisch wichtigen befestigten Stadt in eine Stätte der Kultur umgewandelt. Berühmte Humanisten wie Gregorio Elladio, Pierleone Leoni, Severio Minervio, Pierfrancesco Giustolo und andere berühmte Männer wie Loreto Vittori, Quinto Settano und Pietro Fontana begründeten die «Accademia degli Ottusi», heute «Accademia Spoletina». Nach der französischen Herrschaft, unter der es zuerst Hauptstadt des Departements Clitunno und dann desjenigen des Trasimeno war, kehrte es 1814 wieder in den Machtbereich des Kirchenstaates zurück, um dann 1860 dem Königreich Italien einverleibt zu werden.

Jetzt, nach dem Verlust ihrer vielhundertjährigen Rolle einer Hauptstadt Umbriens (Caput Umbriae), ist die Stadt zu einem Kunst-und Kulturzentrum von erheblicher internationaler Bedeutung geworden. Sie beherbergt nicht nur das «Festival der zwei Welten», sondern ist auch der Sitz des «Teatro Lirico Sperimentale» - sozusagen ein Sprungbrett für junge Opernsänger - und des Italienischen Zentrums für Studien über das Hohe Mittelalter, es werden Tagungen veranstaltet und Schriften veröffentlicht, die in der ganzen Welt Geltung besitzen. Außerdem wurde unlängst auch eine Abteilung der Ausländer-Universität von Perugia nach Spoleto verlegt.

Spoleto hat also eine vorwiegend kulturelle Berufung, wenn diese auch nicht ausschließlich ist, wie verschiedene kleine und mittlere Industriebetriebe. Es ist aber notwendig, daß diese bereits gefestigte kulturelle Tradition auch in Zukunft lebendig bleibt: die kulturellen Veranstalltungen solen nicht nur periodisch und auf den Sommer beschränkt sein, sondern zu ständigen auch finanziell wohl unterbauten Einrichtungen werden, damit sie sich bedeutsam auch auf die wirtschaftliche Entwicklung der Stadt von morgen auswirken können.

Sopra, panorama di Spoleto da Collerisana, sullo sfondo il Monteluco.
Sotto, Sarcofago tardo romano con scene di caccia, proveniente da Palazzo Campello e trasformato in una fontana per Piazza del Duomo nel 1954. Sulla sinistra è un ignoto personaggio rivestito di «Imperium» militare in partenza per la caccia; al centro e a destra lo stesso in compagnia della «Virtus» e di cavalieri combatte contro un leone (seconda metà del III see.d.C.).

Above, view of Spoleto from Collerisana; Monteluco in the back-ground.
Below, late-Roman sarcophagus decorated with hunting scenes, once belonging to Palazzo Campello and transformed into a fountain for Piazza del Duomo in 1954. On the left, an unknown figure in military dress departing for the hunt; at the centre and right, the same figure accompanied by «Virtus» and horsemen battling with a lion (second half of the 3rd century A.D.).

Ci-dessus, panorama de Spoleto depuis Collerisana; dans le fond le Monteluco.
Ci-dessous, Tombeau d'une époque romaine tardive orné de scènes de chasse et provenant de Palazzo Campello. Il fut transformé en une fontaine pour la piazza del Duomo en 1954. Sur la gauche notons un personnage anonyme, revêtu de l'«Imperium» militaire partant pour la chasse; au centre et à droite, le même personnage, en compagnie de la «Virtus» et de cavaliers, combat contre un lion (seconde moitié du IIIe siècle apr. J.-C.).

Oben ein Panorama von Spoleto, von Collerisana aus aufgenommen; im Hintergrund der Berg Monteluco.
Unten ein spätrömischer Sarkophag mit Jagdszenen, der aus dem Palazzo Campello stammt und 1954 zu einem Brunnen für den Domplatz umgestaltet wurde. Linker Hand das Bildnis einer unbekannten Persönlichkeit, die sich in militärischer Kleidung anschickt, zur Jagd zu fahren; in der Mitte und rechts dieselbe Gestalt in Begleitung der «Virtus» (Tapferkeit), wie sie mit anderen Rittern gegen einen Löwen kämpft (zweite Hälfte des 3. Jahrh. n. Chr.).

Cattedrale di S. Maria Assunta con veduta della Piazza e scorcio della Rocca in alto a destra.

Chathedral of St. Mary of the Assumption with a view of the square and a glimpse of the fortress in the upper right hand side.

Cathédrale Sainte-Marie-de-l'Assomption (Santa Maria Assunta) avec vue sur la place et un aperçu de la forteresse en haut à droite.

Die Kathedrale S. Maria Assunta (Mariä Himmelfahrt) mit einer Ansicht des Platzes und einer Teilansicht der Burg rechts oben.

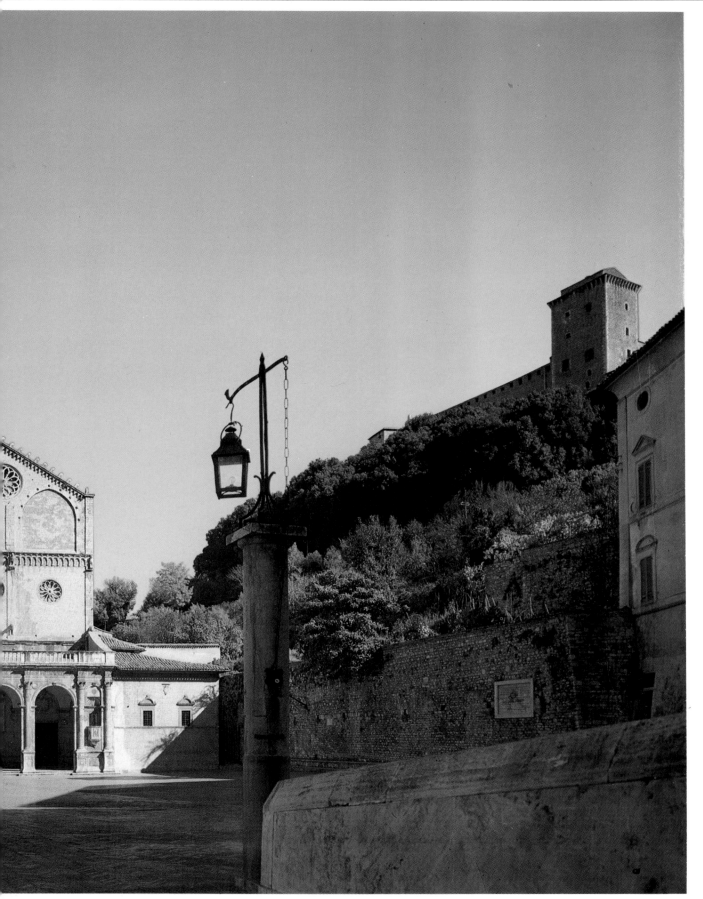

Piazza del Duomo dal Palazzo Comunale. In basso a sinistra sono la chiesa e il campanile di S. Eufemia, al centro Via dell'Arringo e in fondo la parte bassa della città. La Cattedrale, riedificata nel sec. XII in stile romanico, con facciata decorata da rosoni e mosaico, nel sec. XVII fu ricostruita all'interno in stile barocco da L. Arrigucci, eccettuata l'abside affrescata dal Lippi.

Piazza del Duomo seen from the Town Hall. Below, the church and bell-tower on the left, Via dell'Arringo in the centre and the lowling part of the town in the background. The cathedral, rebuilt in the Romanesque style in the 12th century, with the facade decorated with rose-windows and mosaics, had its interior reconstructed in the Baroque style by L. Arrigucci in the 17th century, with the exception of the apse frescoed by Lippi.

Piazza del Duomo vue de l'Hôtel de Ville. En bas à gauche apparaissent l'église et le clocher de Santa Eufemia, au centre la via dell'Arringo et au fond la partie basse de la ville. La cathédrale, rebâtie au XIIe siècle en style roman, avec une façade ornée de rosaces et de mosaique, fut reconstruite à l'intérieur au XVIIe siècle en style baroque par L. Arrigucci, exception faite de l'abside ornée de fresques de Lippi.

Der Domplatz vom Rathaus aus gesehen. Unten links die Kirche und der Glockenturm von S. Eufemia, in der Mitte die Straße Via dell'Arringo und im Hintergrund der untere Stadtteil. Die Kathedrale wurde im 12. Jahrhundert in romanischem Stil erbaut und die Fassade mit Fensterrosen und Mosaiken geschmückt. Im 17. Jahrhundert gestaltete abr L. Arrigucci das Innere barock, mit Ausnahme der von Lippi mit Fresken bemalten Apsis.

Il Duomo e la Rocca visti da Via Filitteria. ➤

Cathedral and fotress viewed from via Filitteria.

La cathédrale et la forteresse (la Rocca), vus depuis la via Filitteria.

Der Dom und die Burg von der Via Filitteria aus geschen.

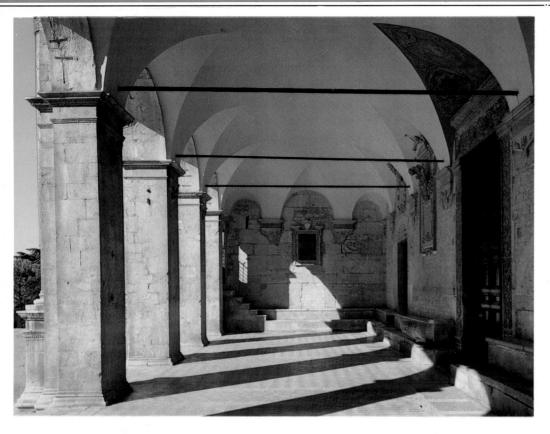

Cattedrale di S. Maria Assunta. La facciata e il campanile sono del sec. XII, meno la cella campanaria (1512-15) edificata da Cione di Taddeo su disegno di Cola da Caprarola.

Cathedral of St. Mary of the Assumption. The facade and bell-tower both belong to the 12th century, with the exception of the belfry (1512-15) wich was built by Cione di Taddeo to Cola da Caprarola's designs.

Cathédrale Sainte-Marie-de-l'Assomption (S. Maria Assunta). La façade et le clocher datent du XIIe siècle, excepté le beffroi (1512-15) édifié par Cione di Taddeo d'après un dessin de Cola de Caprarola.

Kathedrale Mariä Himmelfahrt: die Fassade und der Glockenturm stammen aus dem 12. Jahrhundert, mit Ausnahme der Glockenstube (1512-15), die von Cione di Taddeo nach einer Zeichnung von Cola Da Caprarola gestaltet wurde.

Sopra, Cattedrale di S. Maria Assunta, Il Portico all'interno (1491-1504).
Sotto a sinistra, uno dei due pulpiti del portico.
Sotto a destra, esterno del portico (1491-1504). Edificato da Ambrogio di Antonio Barocci e Pippo di Antonio, è elegantemente intonato alla facciata romanica e risente del gusto bramantesco.

Above, Cathedral of St. Mary of the Assumption, the interior of the Portico (1491-1504).
Below on the left, one of the two pulpits of the portico.
Below on the right, the Portico from the outside. It was built by Ambrogio di Antonio Barocci and Pippo di Antonio, and matches very elegantly with the Romanesque facade, bearing clear traces of the bramante style.

Ci-Dessus, cathédrale Sainte-Marie de L'Assomption (S. Maria Assunta), le Portique vu de l'intérieur (1491-1504).
Ci-dessous à droite, extérieur du portique (1491-1504). Erigé par Ambrogio di Antonio Barocci et Pippo di Antonio, il s'harmonise élégamment avec la façade romane et répond aux critères du style de Bramante.

Die Kathedrale Mariä Himmelfahrt: der Laubengang innen (1491-1504).
Unten links eine der beiden Kanzeln im Laubengang.
Unten rechts eine Außenansicht des Laubengangs. Er wurde von Ambrogio di Antonio Barocci und Pippo di Antonio erbaut, paßt sehr gut zur romanischen Fassade und gemahnt irgendwie an die Geschmacksrichtung des Bramante.

Sopra, Cattedrale di S. Maria Assunta, Cappella delle Reliquie: nella volta affreschi con storie della Vergine di Francesco Nardini (1557 c.); alle pareti coro ligneo con stalli dipinti dallo stesso (1553-54) con Profeti e Sibille.
Sotto, Cappella delle Reliquie: altare e tabernacolo, opere con il restante coro di Giovanni Andrea di Ser Moscato e Damiano di Mariotto, con la collaborazione di Lorenzo detto Ciampichitto (metà del XVI secolo).

Above, Cathedral of St. Mary of the Assumption, Chapel of the Relics: the frescoes in the vaults relating stories of the Virgin are by Francesco Nardini (1557 circa); lining the walls is a wooden choir with stalls painted by the same artist (1553-54) and depicting Prophets and Sybils.
Below, Chapel of Relics: altar, tabernacle, and remaining choir, the works done by Giovanni Andrea di Ser Moscato and Damiano di Mariotto, with the collaboration of Lorenzo, Known as «Ciampichitto» (mid-16th century).

Ci-dessus, cathédrale Sainte-Marie-de-L'Assomption (S. Maria Assunta), Chapelle des Reliques: sur la vaûte, fresques représentant des scènes de la vie de la Vierge de Francesco Nardini (1557); contre les murs, le choeur de bois aux stalles peintes par le même artiste (1553-54) («Prophètes et Sibylles»).
Ci-dessous, Chapelle des Reliques: autel et tabernacle, rèalisés tout comme le reste du cheour par Giovanni Andrea di Ser Moscato et Damiano di Mariotto avec la collaboration de Lorenzo dit «Ciampichitto» (milieu du XVIe siècle).

Oben wieder die Kathedrale Mariä Himmelfahrt mit der Reliquien-Kapelle. Im Gewölbe sind in Freskomalerei Geschichten der hl. Jungfrau von Francesco Nardini (1557) dargestellt. An den Wänden hölzernes Chorgestühl, von demselben Meister Nardini bemalt (1553-54), mit Propheten und Sibyllen.
Unten wieder die Reliquienkapelle: der Altar und der Tabernakel, Werke, die mit dem noch erhaltenen Chor von Giovanni Andrea di Ser Moscato und Damiano di Mariotto unter Mitwirkung von Lorenzo, genannt Ciampicchitto, um die Mitte des 16. Jahrhunderts geschaffen wurden.

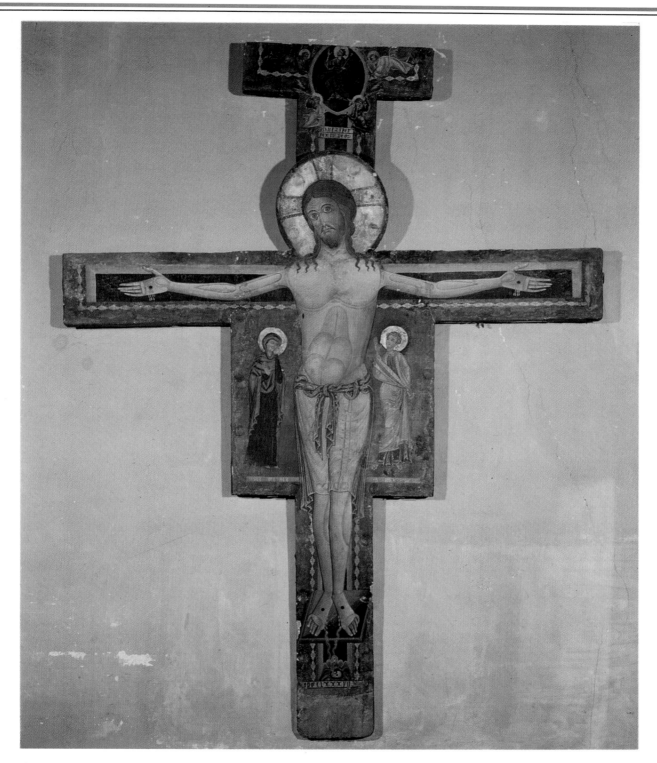

Cappella delle Reliquie, Croce d'altare di Alberto So (tii) del 1187, dipinta su pergamena applicata al legno. E' opera di un bravissimo pittore medioevale, capostipite di una scuola spoletina viva fino al sec. XIII.

Chapel of Relics, Altar Cross by Alberto Sotii dated 1187, painted on parchment and applied to wood. This is the work of an excellent medieval painter, founder of the Spoleto school that existed right up until the 13 century.

Chapelle des Reliques, croix d'autel d'Alberto So (tii) de 1187, peinte sur parchemin et appliquée sur bois. Elle est l'oeuvre d'un excellent peintre médiéval, chef de file d'une école de Spoleto qui opéra jusq'au XIIIe siècle.

Die Reliquienkapelle: Altarkreuz von Alberto So (tii) aus dem Jahr 1187, auf Pergament mit Holzunterlage gemalt.
Est ist das Werk eines überaus tüchtigen Meisters aus dem Mittelalter, der in Spoleto eine Kunstschule begründete, die noch im 13. Jahrhundert bestand.

Sopra, Cattedrale di S. Maria Assunta, Affreschi dell'abside. Sono l'ultima opera di Frà Filippo Lippi (1467-69), prima della morte avvenuta a Spoleto nell'ottobre del 1469. raffigurano storie della Vergine, a cui la chiesa è intitolata. Qui è la morte della Madonna, dove nel gruppo di figure a destra sono ritratti il pittore e il figlio Filippino.
Sotto, Cappella delle Reliquie, Madonna col Bambino, statua in legno policromo di un ignoto artefice umbro del sec. XVI con caratteri stilistici umbro-abbruzzesi.

Above, Cathedral of St. Mary of the Assumption, Frescoes of the Apse. These are the last works of Friar Filippo Lippi (1467-69), done before his death in Spoleto in October 1469. They depict stories of the Virgin Mary after whom the church is named. Here is the death of the Madonna, wherein lie, among a group of figures on the right, the portraits of the artist and his son Filippino.
Below, Chapel of Relics, Madonna and Child: a coloured wooden statue, by an unknown Umbrian sculptor of the 14th century, showing traces of an Umbrian-Abruzzo style.

Ci-dessus, Cathédrale Sainte-Marie-de-L'Assomption (S. Maria Assunta), fresques de l'abside. Elles représentent le dernier chef-d'oeuvre de Filippo Lippi (1467-69), avant sa mort survenue à Spoleto en octobre 1469. Elles illustrent des scènes de la vie de la Vierge, en l'honneur de qui l'église fut bâtie. Nous voyons ici la scène de la mort de la Vierge; parmi les personnages de droite apparaissent le peintre et son fils Filippino.
Ci-dessous, Chapelle des Reliques; «Vierge à l'Enfant», statue de bois polychrome d'un artiste ombrien anonyme du XIVe siècle. Son style évoque à la fois l'art des Abruzzes et de l'Ombrie.

Oben noch einmal die Kathedrale Mariä Himmelfahrt: Fresken in der Apsis. Sie sind das Werk von Fra' Filippo Lippi (1467-69), das er als letztes vor seinem Tod in Spoleto im Oktober 1469 schuf. Geschildert werden hier Geschichten aus dem Marienleben, weil ja das Gotteshaus der Madonna geweiht ist. Zu sehen auch der Tod der Gottesmutter, unter den Gestalten rechts der Meister selbst und sein Sohn Filippino.
Unten die Reliquienkapelle: Madonna mit dem Kind, ein Standbild aus bemaltem Holz von einem unbekannten Meister aus Umbrien; es reicht in das 14. Jahrhundert zurück und weist umbrisch-Abruzzeser Stilelemente auf.

Sopra, Cattedrale di S. Maria Assunta, Affreschi dell'abside: particolare della Natività di Cristo di Filippo Lippi.
Sotto, Natività di Cristo. L'affresco, realizzato per ultimo, fu eseguito quasi interamente dai collaboratori, Don Diamante e Pier Matteo d'Amelia, anche se su disegno del Lippi.

Above, Cathedral of St. Mary of the Assumption, Frescoes of the Apse: detail of the Birth of Christ by Filippo Lippi.
Below, Birth of Christ. This fresco, the last to be done, was carried out almost entirely by his collaborators, Don Diamante and Pier Matteo d'Amelia, even though to Lippi's designs.

Ci-dessus, Cathédrale Sainte-Marie-de-l'Assomption (S. Maria Assunta), fresques de l'abside: détail de la «Nativité de Jésus» de Filippo Lippi.
Ci-dessous, «Nativité de Jésus». Cette fresque, réalisée en dernier, fut presque entièrement réalisée par les collaborateurs de l'artiste, Don Diamante et Pier Matteo d'Amelia, sur des desins de Lippi.

Oben die Fresken in der Apsis der Himmelfahrtskirche: Detail der Geburt Christi von Filippo Lippi.
Unten Christi Geburt. Dieses Fresko wurde als letztes und fast zur Gänze von den Mitarbeitern Don Diamante und Pier Matteo d'Amelia gemalt, wenn auch die Zeichnung von Lippi selbst stammt.

Sopra, Cattedrale di S. Maria Assunta, Affreschi dell'abside: Catino absidale con l'Incoronazione della Vergine di Filippo Lippi.
Sotto, Cappella del Vescovo Costantino Eroli, Affresco del Catino absidale col Padre Eterno benedicente fra angeli, di Bernardino di Betto detto il Pinturicchio (1497).

Above, Cathedral of St. Mary of the Assumption, Frescoes of the Apse: apsidal vault with the Coronation of the Virgin, by Filippo Lippi
Below, Chapel of Bishop Costantino Eroli, Fresco of the apsidal vault depicting the Eternal Father blessing between angels, by Bernardino di Betto, Know as «Pinturicchio» (1497).

Ci-dessus, Chathédrale Sainte-Marie-de-l'Assomption (S. Maria Assunta), Fresques de l'abside: cuvette absidale ornée du «Couronnement de la Vierge» de Filippo Lippi.
Ci-dessous, Chapelle de l'évêque Costantino Eroli, Fresque de la cuvette absidale avec la «Bénédiction du Père Eternel parmi les Anges», de Bernardino di Betto, dit Pinturicchio (1497).

Wiederum Fresken in der Apsis der Himmelfahrtskirche: die Krönung der Jungfrau von Filippo Lippi.
Unten die Kapelle des Bischofs Costantino Eroli mit einem Fresko im Rund der Apsis: der Ewige Vater segnend zwischen Engeln, ein Werk von Berardino di Betto, genannt Pinturicchio (1497).

Foto a lato. Incoronazione della Vergine, particolare.➤

Detail from the Coronation of the Virgin.

«Couronnement de la Vierge», détail.

Krönung der Jungfrau - Detail.

Sopra, Cattedrale di S. Maria Assunta, Affreschi absidali, Particolare dell'Annunciazione di Filippo Lippi.
Sotto, Annunciazione. La figura della Vergine, delicatamente malinconica, è sicuramente opera autografa del celebre pittore fiorentino.

Above, Cathedral of St. Mary of the Assumption, apsidal frescoes: detail from the Annunciation by Filippo Lippi.
Below, Annunciation: the figure of the Virgin, delicately melancholy, is definitely the work of this famous Florentine painter.

Ci-dessus, cathèdrale Sainte-Marie-de-l'Assomption (S. Maria Assunta), Fresques absidales, détail de l'«Annonciation» de Filippo Lippi.
Ci-dessous, «Annonciation». La figure de la Vierge, aux traits délicats et à l'expression mélancolique, est sans aucun doute l'oeuvre personnelle du peintre florentin.

Oben wieder Fresken in der Apsis der Himmelfahrtskirche: Detail der Verkündigung von Filippo Lippi.
Unten: Verkündigung. Die Gestalt der Jungfrau wirkt leicht melancholisch und ist bestimmt vom berühmten Florentiner Meister selbst geschaffen worden.

Sopra, Cattedrale di S. Maria Assunta, Cappella del Vescovo Costantino Eroli: Madonna col Bambino e i SS. Giovanni Battista e Leonardo. L'affresco è opera del perugino Bernardino di Betto detto il Pinturicchio (1497).
Sotto, Paliotto con Cristo nel sarcofago, dipinto dallo stesso autore sotto l'affresco precedente.

Above, Cathedral of St. Mary of the Assumption, Chapel of Bishop Costantino Eroli: Madonna and Child and Saints John the Baptist and Leonard. The resco is by Bernardino di Betto of Perugia, also known as Pinturicchio (1497).
Below, Altar Frontal depicting Christ laid in a sarcophagus, painted by the same artist underneath the preceding fresco.

Ci-dessus, Cathédrale Sainte-Marie-de-l'Assomption (S. Maria Assunta), Chapelle de l'évêque Costantino Eroli, «Vierge à l'Enfant et les Saints Jean-Baptiste et Lèonard». Elle est l'oeuvre du peintre de Pérouse Bernardino di Betto, dit le Pinturicchio (1497).
Ci-dessous, Devant d'autel représentant le «Christ au Tombeau», peint par le même artiste sous la fresque précédente.

Oben die Kapelle des Bischofs Costantino Eroli, die zur Himmelfahrtskirche gehört: wir sehen ein Fresko der Madonna mit dem Kind und den Heiligen Johannes dem Täufer und Leonhard. Dieses Fresko ist ein Werk von Bernardino di Betto aus Perugia, genannt Pinturicchio (1497).
Unten ein Christus im Sarkophag, von demselben Meister unter dem oben beschriebenen Fresko auf Leinwand gemalt.

Sopra, Piazza del Duomo: sulla destra è la Chiesa di S. Maria della Manna d'oro, costruita fra il XVI e XVII secolo, per la protezione fornita dalla Vergine a Spoleto durante i tragici fatti del 1527: a sinistra della chiesa sono il Teatro Caio Melisso e il Museo Civico, quindi Via dell'Arringo e sullo sfondo il Palazzo Comunale.
Sotto, Cattedrale di S. Maria Assunta, Cappella del Vescovo Costantino Eroli: Madonna col Bambino, particolare dell'affresco di Bernardino di Betto detto il Pinturicchio.

Above, Piazza del Duomo: on the right is the church of St. Mary of the Golden Manna, constructed between the 16th and 17th century, in gratitude for the Virgin's protection of Spoleto during the tragic events of 1527; on the left of the church are the Caio Melisso Theatre and the Civic Museum, then Via dell'Arringo and, in the background, the Town Hall.
Below, Cathedral of St. Mary of the Assumption, Chapele of Bishop Costantino Eroli: Madonna and Chil, detail from a fresco by Bernardino di Betto, also known as Pinturicchio.

Ci-dessus, Piazza del Duomo: sur la droite s'élève l'église Santa-Maria della Manna d'Oro, construite entre le XVIe et le XVIIe siécle, en l'honneur de la Vierge qui protégea Spoleto lors des événements tragiques de 1527; à gauche de l'église apparaissent le Théâtre Caio Melisso et le Musée Municipal, puis via dell'Arringo et l'Hotel de Ville.
Ci-dessous, Catheédrale Sainte-Marie-de-l'Assomption (S. Maria Assunta), Chapelle de l'évêque Costantino Eroli: «Vierge à l'Enfant», détail de la fresque de Bernardino di Betto, dit le Pinturicchio.

Oben der Domplatz: sur Rechten die Kirche S. Maria della Manna d'Oro, vom 16. bis zum 17. Jahrhundert zum Dank dafür gebaut, daß die heilige Jungfrau Spoleto während der tragischen Ereignisse des Jahres 1527 beschützt hat.
Links vom Gotteshaus das Theater Caio Melisso und das Städtische Museum, dann die Via dell'Arringo und im Hintergrund das Rathaus.
Unten die Kapelle des Bischofs Costantino Eroli in der Himmelfahrtskirche: Muttergottes mit dem Kind, ein Detail des Freskos von Bernardino di Betto, genannt Pinturicchio.

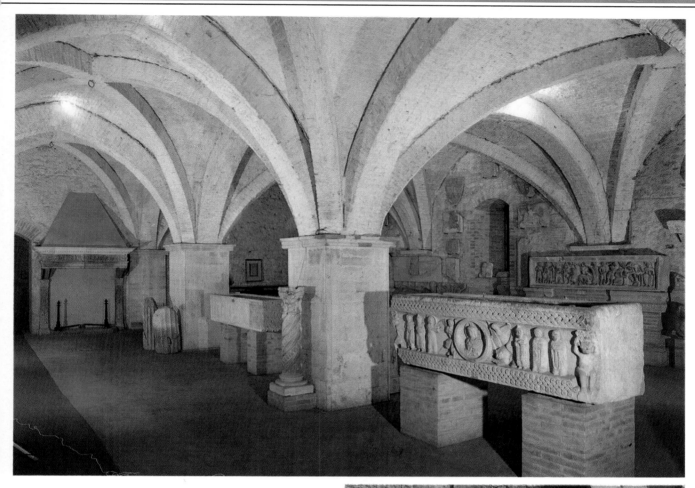

Sopra, Museo Civico. Ospitato nel cosidetto Palazzo della Signoria (sec. XIV) nel piano sottostante al Teatro Caio Melisso, fu creato per iniziativa dell'archeologo G. Sordini nel 1910.
Esso raccoglie materiale archeologico, sculture medioevali e rinascimentali. In primo piano è il sarcofago di S. Isacco (sec. XII).
Sotto, Museo Civico, Tabernacolo scolpito del XVI secolo, con Cristo nel sarcofago (lunetta) e Compianto di Cristo (sportello).

Above, Civic Museum founded by the archeologist, G. Sordini, in 1910 and housed in the so-called Palazzo della Signoria (14th century) on the floor below the Caio Melisso Theatre. The museum displays archeological exhibits and medieval and renaissance sculptures. here is a close-up of St. Isaac' sarcophagus (12th century).
Below, Civic Museum, sculptured tabernacle dating from the 16th century, with Christ laid out in the sarcophagus (lunette) and Christ's lament (window).

Ci-dessus, Musée Municipal (Museo Civico). Situé dans le Palais de la Signoria (XIVe siècle) au-dessous du Théâtre Caio Melisso, il fut créé sur une initiative de l'archéologue G. Sordini en 1910. Il rassemble des pièces archéologiques, des sculptures médiévales et Renaissance.
Au premier plan apparaît le tombeau de saint Isaac (XIIe siècle).
Ci-dessous, Musée Municipal, Tabernacle sculpté au XVIe siécle, représentant le «Christ au Tombeau» (lunette) et la «Complainte du Christ» (porte).

Oben das Städtische Museum. Es ist in dem sog. Palazzo della Signoria aus dem 14. Jahrh. ind em Stockwerk des Teatro Caio Melisso untergebracht und wurde auf Betreiben des Archäologen G. Sordini im Jahr 1910 eingerichtet. Es enthält archäologische Fundstücke, sowie Skulpturen aus dem Mittelalter und aus der Renaissance.
Im Vordergrund der Sarkophag des hl. Isaak (12. Jahrh.).
Unten wieder das Städt. Museum: ein gehauener Tabernakel aus dem 16. Jahrhundert mit Christus im Sarkophag (in der Lünette) und die Beweinung Christi (auf der Tür des Tabernakels).

Via dell'Arringo, aperta dopo la costruzione della Cattedrale, cosí detta perché conduceva all'arringo, cioè all'assemblea popolare di Piazza del Duomo nel medioevo. A sinistra è Palazzo Ràcani (Arroni) ornato di un bel portale e di importanti e rari graffiti nella facciata (sec. XVI).

Via dell'Arringo, opened after the Cathedral's construction, and so named because it led to the meeting plasce, i.e. Piazza del Duomo, where the people used to gather in the Middle Ages. On the left is Palazzo Ràcani (Arroni) decorated with a beatiful portal and important, rare graffiti on the facade (16th century).

Via dell'Arringo, ouverte après la construction de la cathédrale. Elle menait à l'origine à l'«arringo», c'est-à-dire à l'assemblée populaire de Piazza del Duomo au moyen âge, ce qui explique son nom. A gauche, nous voyons le Palais Racani (Arroni), ornèe d'un beau portail et d'importants et rares graffiti sur le façade (XVIe siécle).

Die Via dell'Arringo, die nach dem bau der Kathedrale angelegt und so benannt wurde, weil sie zum «Arringo» führte, das war die Volksversammlung auf dem Domplatz im Mittelalter. Linker Hand Palazzo Ràcani (Arroni) mit einem hübschen Portal und seltenen, beachtenswerten Sgraffitomalereien auf der Fassade (16. Jahrhundert).

Sopra, Museo Civico, Architrave figurato con storie del martirio di S. Biagio (X-XII secolo). Da sinistra: l'imperatore ordina il martirio, scorticazione, esposizione ai leoni , decapitazione, Redentore benedicente.
Sotto, Elegante camino proveniente dal vicino Palazzo Ràcani (primi del sec. XVI).

Above, Civic Museum, Architrave depicting stories of the martyrdom of St. Biagio (11th-12th century). From the left: the emperor orders the martyrdom, flayng, setting before the lions, beheading and blessed Redeemer.
Below, an elegant fireplace coming from the nearby Palazzo Ràcani (early 16th century).

Ci-dessus, Musée Municipal (Museo Civico), Architrave qu' illustrent des scènes du maryre de saint Blaise (XII-XIIIe siècle).
En partant de la gauche: l'empereur ordonne le martyre, l'ecorchement,l'exposition aux lions, la décapitation, le Rédempteur donnant sa bénédiction. Ci-dessous, Elégante cheminée provenant du Palais Racani (début du XVIe siècle).

Oben das Städtische Museum: ein Sturz mit Dastellungen des Martyriums des hl. Blasius (12. Jahrh.). Von links nach rechts: der Kaiser befiehlt das Martyrium; der Heilige wird enthäutet; er wird unter die löwen geworfen; er wird enthauptet; der segnende Erlöser.
Unten ein formschöner Kamin aus dem nahen Palazzo Ràcani (Anfang des 16. Jahrhunderts).

Sopra, Chiesa di S. Eufemia, Absidi (prima metà del sec. XII). E' uno dei piú importanti edifici romanici dell'Umbria, ripartito esternamente da lesene e archetti pensili e illuminato da monofore di stile romanico lombardo. La chiesa, situata a fianco del Palazzo Vescovile, è stata restaurata dopo le manomissioni barocche nel 1954.
Sotto, Chiesa di S. Eufemia: facciata. Il prospetto a due spioventi sopraelevati al centro è tipico della prima architettura romanica spoletina, con portali a rincassi concentrici, monofore e archetti rampanti. Il listello orizzontale, la colonna e il capitello della bifora sono di restauro.

Above, Church of St. Eufemia, the Apses (First half of the 12th century).
It is one of the most important Romanesque buildings in Umbria, subdivided on the exterior by pilasters and hangin arches and illuminated by Romanesque-Lombard type mullioned windows. This church, situated next door to the Bishop's Palace, hase been restored after the Baroque tampering in 1954.
Below, Church of St. Eufemia: the facade. The front is raised at the centre sloping down on each side and is typical of the early Romanesque architecture in Spoleto, with a portal set in a series of concentric arches, mullioned windows and climbing arches. The horizontal fillet, the pillar and the capital of the two-mullioned window are parts of restoration work.

Ci-dessus, Eglise Santa-Eufemia, Absides (première moitié du XIIe siècle). C'est là un des majeurs édifices romans d'Ombrie, caractérisé à l'extérieur par des lésènes et de petits arcs suspendus, et éclairé par des fenêtres de style roman-lombard. L'église, située à côté du Palais Episcopal, a été restaurée après les remaniements baroques, en 1954.
Ci-dessous, Eglise Santa Eufemia: façade, Le devant, à deux versants suréleves au centre, traduit les caractères architecturaux du début de l'art roman à Spoleto. Notons les portails à bandeaux concentriques, les fenêtres à une unique ouverture et les petits arcs rampants. La bordure horizontale, la colonne et le chapiteau de la fenêtre géminée résultent de travaux de restauration.

Oben die Apsiden der Kirche zur hl. Eufemia (Mitte des 12. Jahrhunderts). Es handelt sich um eines der bedeutendsten romanischen Gebäude Umbriens, außen unterteilt durch Lisenen und Hängebögen, und beleuchtet durch Einbogenfenster in romanisch-lombardischem Stil. Die kirche, die neben dem Erzbischöflichen Palast steht, wurde nach den barocken Umgestaltungen 1954 in ihren ursprünglichen Zustand zurückgeführt.
Unten die Fassade der Kirche S. Eufemia. Die Vorderansicht mit zwei in der Mitte erhabenen Dachschrägen ist für die frühromanische Architektur in Spoleto ebenso kennzeichnend wie die konzentrisch gerahmten Portale, die Einbogenfenster und die hochgezogenen kleinen Bögen. Die waagrechte Unterteilung, die Säule und das Kapitell des Zweibogenfensters rühren von einer Restaurierung her.

Sopra, Chiesa di S. Eufemia, interno. E' a tre navate dallo spiccato verticalismo. Le colonne si alternano ai pilastri, spesso costruiti con elementi di spoglio classici e altomedioevali. In alto è il matroneo, riservat alle religios del monastero un tempo esistente.
Sotto, Via di Visiale, strada caratteristica per gli archetti separatori degli edifici che la fiancheggiano. A destra l'ingresso della Casa romana.

Above, Interior of the Church of St. Eufemia. It has three naves of a distinct vertical tendency. The columns alternate with pillars, often constructed out of cast-offs from the Classic and Dark Ages periods.
Up above is the women's gallery reserved for the religious women of the monastery that at one time existed here.
Below, Via di Visiale, a street characterized by the arches that divided the buildings along it. On the right, entrance to the Roman house.

Ci-dessus, Eglise Santa Eufemia, intérieur. Il est à trois nefs particulièrement élancées. Les colonnes alternent avec des piliers, souvent érigés au moyen d'éléments volontairement dépouillés reprenant l'art classique ou celui du Haut Moyen Age. En haut domine la tribune, réservée aux religieuses du monastère existant autrefois en ces lieux.
Ci-dessous, via di Visiale, rue que caractérisent les petits arcs destinés à séparer les édifices la bordant. A droite, l'entrée de la Maison Romaine.

Oben das Innere der Kirche zur hl. Eufemia. Sie ist dreischiffig und es wiegen die vertikalen Linien vor.
Die Säulen wecheseln mit Pfeilern ab, die oft aus Bruchstücken Klassischer und hochmittelalterlicher Bauwerke errichtet wurden. Oben ist die Matronenabteilung, die den Kirchenschwestern des einstigen Münsters vorbehalten war.
Unten die Via di Visiale, eine charakteristische Straße mit Spreizbögen zwischen den rechts und links angereihten Gebäuden. Rechter Hand der Eingang zum «Römischen Haus».

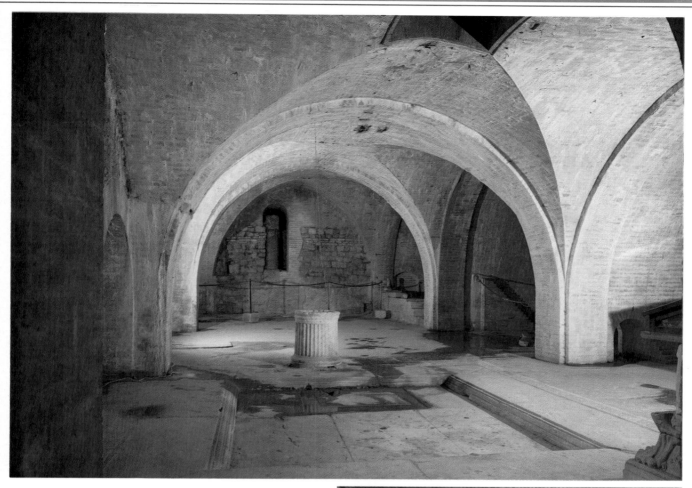

Sopra, Casa Romana (I sec. d.C.). Situata sotto il Palazzo Comunale è stata scoperta nel secolo scorso e creduta, in base ad un'iscrizione, di proprietà di Vespasia Polla, madre dell'imperatore Vespasiano. Al centro è l'atrio con impluvium e intorno i cubicoli, il tablino e il triclinio; a sinistra il peristilio.
Sotto, Casa Romana, veduta dell'atrio dal corridoio d'ingresso.

Above, the Roman House (1st century A.D.) situated underneath the Town Hall and discoverde just a century ago. According to an inscription it is thought to belong to Vespasia Polla, mother of Emperor Vespasiano. The atrium and implurium lie in the centre, while around these are the cubicles, the tablinium and the triclinium; on the left, the peristylium.
Below, the Roman House, view of the atrium from the entrance corridor.

Ci-dessus, Maison Romain (Casa Romana) (Ier siècle apr. J.-C.).
Située sous l'Hôtel de Ville, elle a ét́découverte au siècle dernier et une inscription laisse à penser qu'elle était la propriété de Vespasia Polla, mére de l'empereur Vespasien. Au centre se trouve l'atrium avec son impluvium, et autour nous noterons les cubiculums, le tablinum et le triclinium; à gauche, le péristyle.
Ci-dessous, Maison Romaine, vue de l'atrium depuis le vestibule d'entrée.

Oben das «Romische Haus» (1. Jahrh. n. Chr.). Es befindet sich unter dem Rathaus und wurde erst im letzten Jahrhundert entdeckt. Aufgrund einer Inschrift nahm man an, daß es der Vespasia Polla, der Mutter Kaiser Vespasians, gehörte. In der Mitte ist das Atrium mit dem Impluvium, und rundherum sin die Schlafräume, das Tablinum und das Triclinium angeordnet; links das Peristilium.
Unten das «Romische Haus»: das Atrium vom Eingang her gesehen.

Sopra, Pinacoteca Comunale. Ospitata in alcune sale del Palazzo Comunale, raccoglie dipinti e arredi dei secoli XII-XVIII.
La raccolta iniziò nel '500, fu poi potenziata da P. Fontana e riordinata da G. Sordini; contiene fra l'altro opere dello Spagna, del Guercino, dell'Alunno, dello Spranger e di De Vecchi.
Sotto, veduta del Palazzo Comunale e della torre dal vicino vicolo della Basilica.

Above, The Town picture-galler, housed in a few rooms of the Town Hall and displaying paintings and furnishings of the 12th to 18th century. This collection was started in the 16th century, then enriched by P. Fontana and rearranged by G. Sordini, and it includes works by Spagna, Guercino, Alunno, Spranger and De Vecchi.
Below, the Town Hall and tower viewed from the nearby Vicolo della Basilica.

Ci-dessus, Pinacothèque Municipale. Elle occupe quelques salles de l'Hôtel de Ville et rassemble des oeuvres picturales et ornementales de différents siècle allant du XIIe au XVIIe.
La collection, commencée au XVIe siécle, fut appuyée par P. Fontana et reclassée par G. Sordini; elle comprend entre autres des oeuvres de Spagne, Guercino, Alunno, Spranger et De Vecchi.
Ci-dessous, vue de l'Hôtel de Ville et de la tour pris depuis le Vicolo della Basilica.

Oben die Stàdtische Pinakothek. Sie ist in einigen Sälen des Rathauses untergebracht und enthält Gemälde sowie Einrichtungsgegenstände aus dem 12. bis zum 18. Jahrhundert.
Mit der Sammlung wurde im 16. Jahrhundert begonnen; P. Fontana erweiterte sie und G. Sordini sorgte für ihre Neuordnung. Sie umfaßt unter anderem Werke von Spagna, Guercino, Alunno, Spranger und De Vecchi.
Unten eine Ansicht des Rathauses und des Turms, von der nahen Gasse der Basilika aus gesehen.

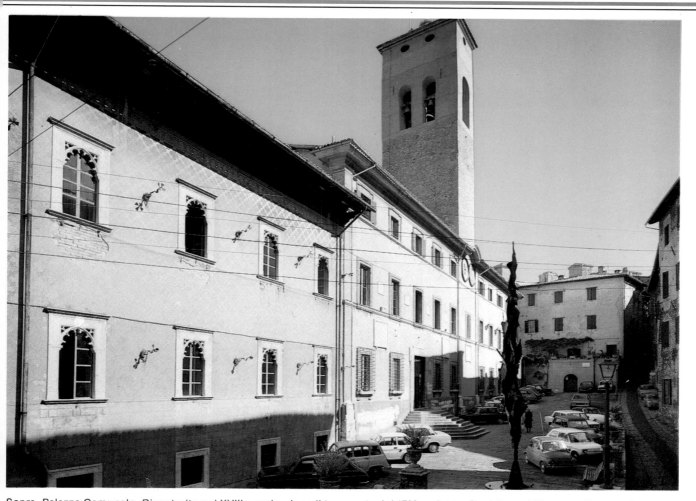

Sopra, Palazzo Comunale. Ricostruito nel XVIII secolo, dopo il terremoto del 1703, esisteva fin dal sec. XIII, come dimostra la torre. La facciata sud (nella foto) è dell'Amadio su progetto di P. Ferrari, con ala in primo piano falso antica (1913); il lato nord verso il Vescovato è di G.B. Bedetti e A.M. Ferrari.
Sotto, Vicolo della Basilica, cosí detto per l'edificio romano sulla sinistra, basamento di un tempietto del I sec. d.C., erroneamente scambiato per una basilica.

Above, the Town Hall. It was reconstructed in the 18th century after the earthquake of 1703, but it existed right from the 13th century as the tower demonstrates. The South face (see photograph) is by Amadio, to P. Ferrari's designs, with the imitation antique wing (1913) in the foreground. The North side towards the Bishopric is by G.B. Bedetti and A.M. Ferrari.
Below, Vicolo della Basilica, so named because of the Roman building on the left, which is the foundation of a temple belonging to the 1st century A.D., erroneously exchanged for a basilica.

«Cl-dessus, Hôtel de Ville. Rebâti au XVIIIe siècle, à la suite du tremblement de terre de 1703, il existait déjà au XIIIe siècle, ainsi que l'atteste sa tour. La façade sud (sur notre photo) est l'oeuvre d'Amedio, d'après un projet de P. Ferrari; l'aile du premier plan n'est qu'un iúitation de style ancien (1913). Le côté nord, vers l'Evêché, est de G. B. Benedetti et A.M. Ferrari.
Ci-dessous, Vicolo della Basilica, dont le nom dérive de l'édifice romain situé sur sa gauche, soubasement d'un petit temple du Ier siècle apr. J.-C., pris par erreur pour une basilique.

Oben das Rathaus. Es wurde nach dem Erdbeben des Jahres 1703 im 18. Jahrhundert wieder aufgebaut, aber es bestand, wie der Turm beweist, seit dem 13. Jahrhundert. Die Südseite (im Bild) gestaltete Amadio nach einem Projekt von P. Ferrari mit einem alten versetzten Vorderflügel (1913). Die Nordseite gegen die Bischöfliche Residenz hin stammt von G.B. Bedetti und A.M. Ferrari.
Unten die Gasse der Basilika, so gennant wegen des römischen Gebäudes zur Linken. Es handelt sich um den Sockel eines kleinen Tempeles aus dem 1. Jahrhundert nach Chr., den man irrtümlich für eine Basilika hielt.

Sopra, Arco di Druso e Germanico (23 d.C.), ingresso principale al Fòro. L'arco è ad un solo fornice, costruito con grandi blocchi di pietra squadrati; il pilone destro è libero e poggia sulla pavimentazione romana, quello sinistro è incorporato in una casa. A destra resti di un tempio del I sec. d.C.
Sotto, Arco di Monterone (III sec.a.C.). E' una delle porte superstiti dell'antica cinta urbica, dalla quale la Flaminia entrava nella città per poi uscire da Porta Fuga.

Above, Druso and Germanic Arch (23 A.D.), main entrance to the Forum.
The arch has a single barrel-vault constructed out huge square blocks of stone; the right pillar stands alone and rests on the Roman flooring, while that on the left is incorporated in a house. On the right, ruins of a temple of the 1st century A.D..
Below, Monterone Arch (3rd century B.C.), one of the surviving gates that formed part of ancient Roman boundary wall, from which Flaminia road entered into the town and then went out via Fuga Gate.

Ci-dessus, Arc de Drusus et Germanicus (23 apr. J.-C.), entrée principale au Forum. L'arc comporte une ouverture unique; il est fait de grands blocs de pierre écarris. Le pilier de droite prend appui sur le pavé romain; celui de gauche est incorporé à une maison. A droite, les vestiges d'une temple du Ier siècle apr. J.-C..
Ci-dessour, Arc de Monteron (IIIe siècle apr. J.-C.). C'est l'une des portes qui a survécu à l'ancienne anceinte de murs de la ville. La Via Flaminia entrait par là dans la cité , pour en ressortir à Porta Fuga.

Oben der Drusus- und der Germanische Bogen (23 n. Chr.), der Haupteingang zum Forum. Der Bogen ist einfach und ruht auf zwei großen behauenen Steinblöcken. Der rechte Pfeiler steht frei auf dem römischen Pflaster, der linke wurde in ein Gebäude einbezogen. Rechts befinden sich die Überreste eines Tempels aus dem 1. Jahrh. n. Chr..
Im Bild unten der Torbogen von Monterone (3. Jahrh. v. Chr.). Es handelt sich um eines der Tore, die von den antiken Stadtmauern übriggeblieben sind. Hier mündete die Via Flaminia in die Stadt, um sich dann durch die Porta Fuga außerhalb derselben fortzusetzen.

Piazza del Mercato, Fonte (1746-48). Costruita da C. Fiaschetti, è di grande effetto scenografico. Nella parte superiore è il monumento onorario di Urbano VIII del Maderno (sec. XVII).

Piazza del Mercato, Fountain (1746-48) built by C. Fiaschetti and providing the main attraction of the square. The upper part is in commemoration of Urbano VIII of Maderno (17th century).

Piazza del Mercato, Fontaine (1746-48). Construite par C. Fiaschetti, elle produit un effet superbe. Dans le haut se dresse le monument honoraire d'Urbain VII, oeuvre de Maderno (XVIIe siècle).

Brunnen auf dem Marktplatz (1746-48). Er wurde von C. Fiaschetti erbaut und ist szenographisch sehr wirkungsvoll. Im oberen Abschnitt das Ehrenmal für Urban VIII. von Maderno (17. Jahrh.).

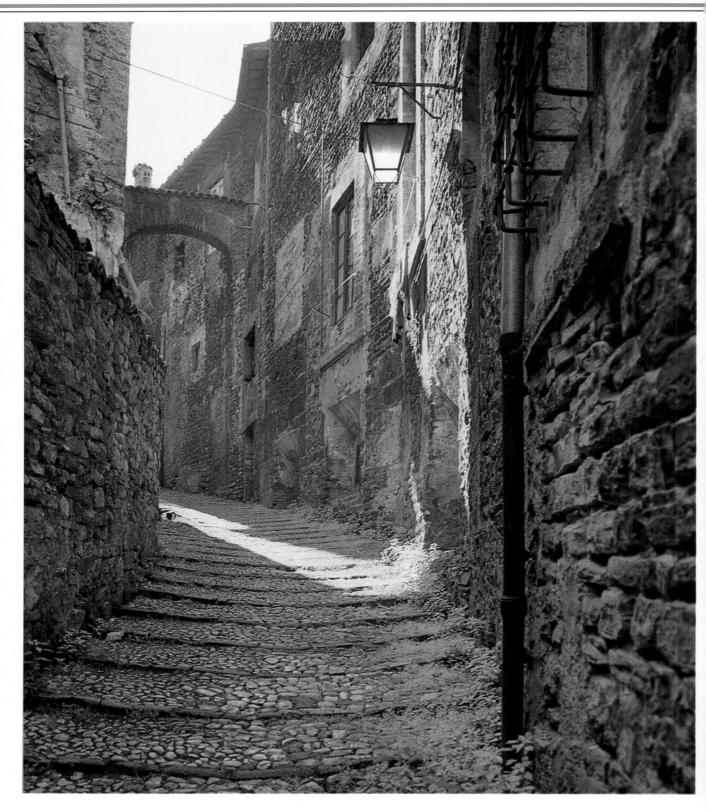

Vicolo della Basilica, inconfondibile viuzza spoletina pietrosa e tortuosa, ma singolarmente suggestiva.

Vicolo della Basilica, the unmistakable road in Spoleto that is stony and winding but uniquely suggestive.

Vicolo della Basilica, ruelle tout à fait typique de Spoleto, pierreuse et tortueuse, mais singulièrement suggestive.

Die Gasse der Basilika, eine unverkennbare enge Verkehrsader von Spoleto, steinig und gewunden, aber überaus suggestive.

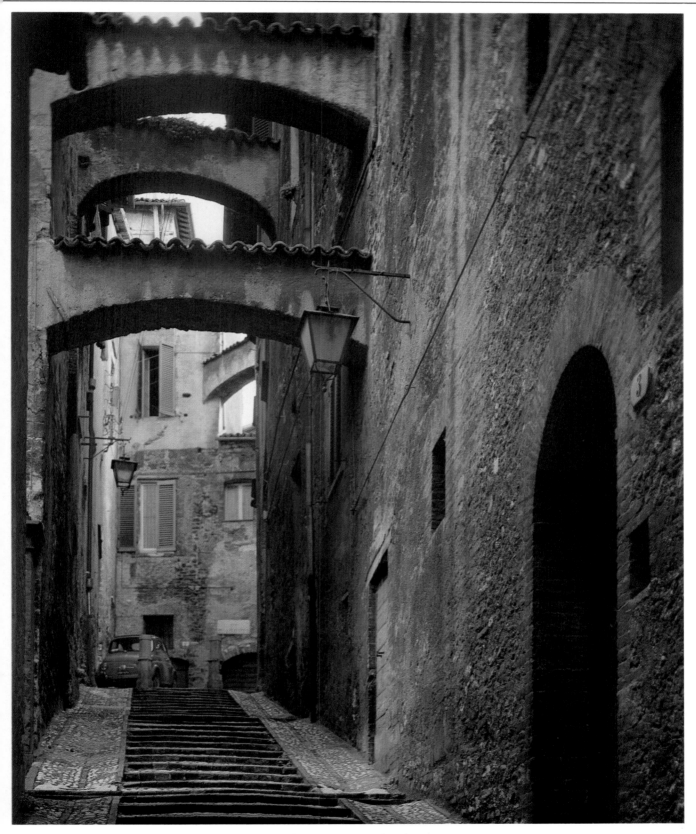

Vicolo dello Sdrucciolo, ripido e pittoresco, è uno degli scorci piú tipici dell'alta Spoleto.

Vicolo dello Sdrucciolo, steep and picturesque and offering one of the most typical sights of Upper Spoleto.

Vicolo dello Sdrucciolo, ruelle typique en pente raide, qui donne l'un des aperçus les plus caractéristiques de la ville haute de Spoleto.

Die Gasse Vicolo dello Sdrucciolo, steil und malerisch, eine der typischesten des oberen Teils von Spoleto.

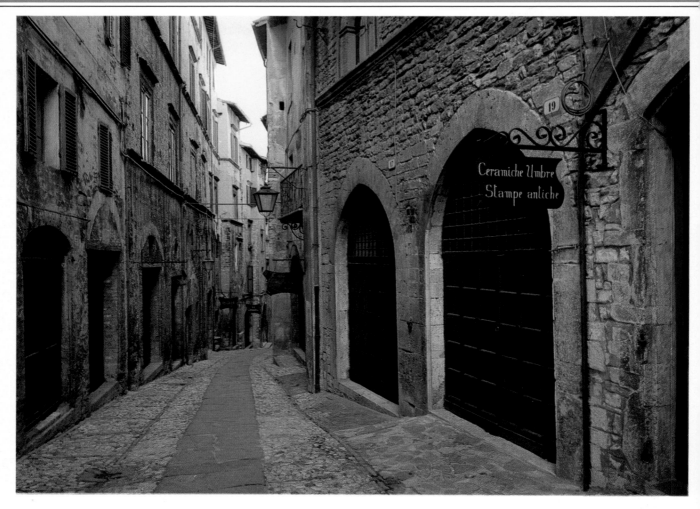

Sopra, Via di Fontesecca, una delle piú belle della città, fiancheggiata da case medievali e rinascimentali. Sulla destra in primo piano è la cosiddetta casa dei maestri comacini.
Sotto, Fontana in largo Muzio Clementi, presso Via del Duomo.
Sotto a destra, Fontana del Mascherone a Piazza Campello (XVII-XVIII sec.).

Above, Via di Fontesecca, one of the town's most beatiful streets, flanked by medieval and renaissance houses. On the right, a close-up of the so-called Comacini masters.
Below, Fountain in Largo Muzio Clementi, near Via del Duomo.
Below on the right, Mascherone Fountain in Piazza Campello (17th-18th century).

Ci-dessus, Via di Fontesecca, l'une des plus belles de la villes bordée de maison médiévales et Renaissance. Sur la droite au premier plan apparaît la «maison des Maîtres Comasques».
Ci-dessous, Fontaine du Largo Muzio Clementi, prés de la via del Duomo.
Ci-dessous à droite, Fontaine du Mascherone Piazza Campello (XVIIe-XVIIIe siècles).

Oben die Via di Fontesecca, eine der schönsten straßen der Stadt mit Häusern aus dem Mittelalter und aus der Renaissance zu beiden Seiten. Rechter Hand im Vordergrund das sog. Haus der Comasker Meister.
Unten der Brunnen in der Straße Muzio Clementi, nächst der Via del Duomo.
Unten rechts der Brunnen Fontana del Mascherone auf der Piazza Campello (17. - 18. Jahrh.).

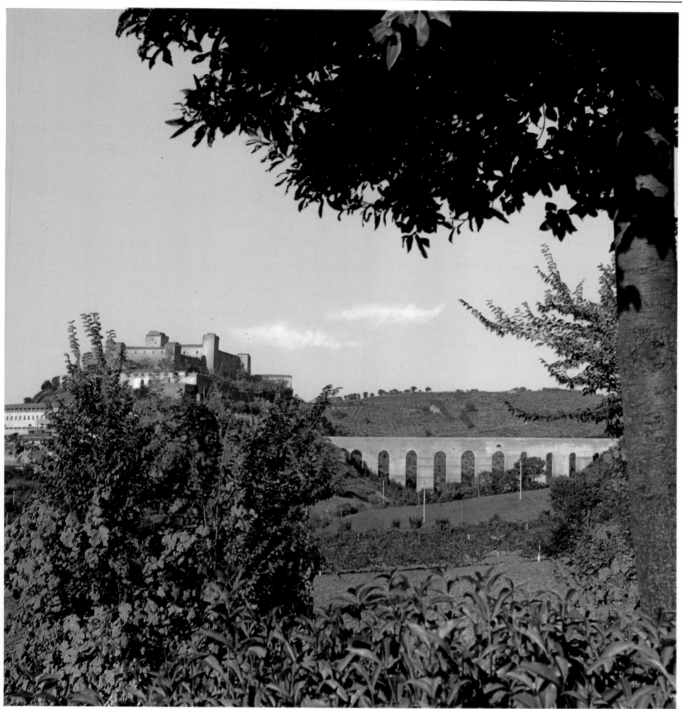

Foto P. Sapori

Il Ponte delle Torri
Bridge of Towers
Le Pont des Tours (Ponte delle Torri)
Die Brücke Ponte delle Torri

Sopra, il Ponte delle Torri e il Fortilizio dei Mulini. Il ponte è il monumento forse più noto della città per l'imponenza e la mole eccezionali. Costruito in calcare locale fra il XIII e il XIV secolo per permettere il passaggio degli acquedotti, ha misure straordinarie, m. 230 × 76. Il Fortilizio, eretto per vigilare il ponte da est, ha funzionato dal XIV al XIX secolo anche da mulino comunale. Sotto, Il Fortilizio dei Mulini (Sec. XIV).

Above, Bridge of Towers and Fort of Mills. The bridge is perhaps the town's most renowned monument for its might and exceptional mass. It was constructed from local limestone, during the period 13th to 14th century, to allow the passage of acqueducts and has some extraordinary dimensions, 230 metres by 76 metres. The fort, erected to guard the bridge in the East, also functioned as the town mill from the 14th the 19th century. Below, Fort of Mills (14th century).

Ci-dessus, le Pont des Tours (Ponte delle Torri), et le Fortin des Moulins (Fortilizio dei Mulini). Le pont est peut-être le monument le plus connu de la ville pour son allure particulièrement imposante. Bâti au moyen de calcaire local entre le XIIIe et le XIVe siècle afin de permettre le passage des aqueducs, il est de dimensions grandioses (230m × 76m). Le Fortin, érigé pour garder le pont du côté est, a servi également du XIVe au XIXe siècle de moulin communal. Ci-dessous, le Fortin des Moulins (Fortilizio dei Mulini) (XIVe siècle).

Oben die Brücke Ponte delle Torri und die sogenannte Mühlenfeste. Die Brücke ist vielleicht das bekannteste Denkmal der Stadt ob ihrer Wucht und der außergewöhnlichen Abmessungen. Sie wurde vom 13. bis zum 14. Jahrhundert aus einheimischem Kalkstein gebaut, um den Durchfluß der Aquädukte zu ermöglichen, und ist wirkliche gewaltig: 230 × 76 m. Die Mühlenfeste, die zur Bewachung der Brücke von Osten her diente, heißt so, weil sie vom 14. bis zum 19. Jahrhundert auch als Gemeindemühle diente. Im Bild unten die Mühlenfeste (14. Jahrh.).

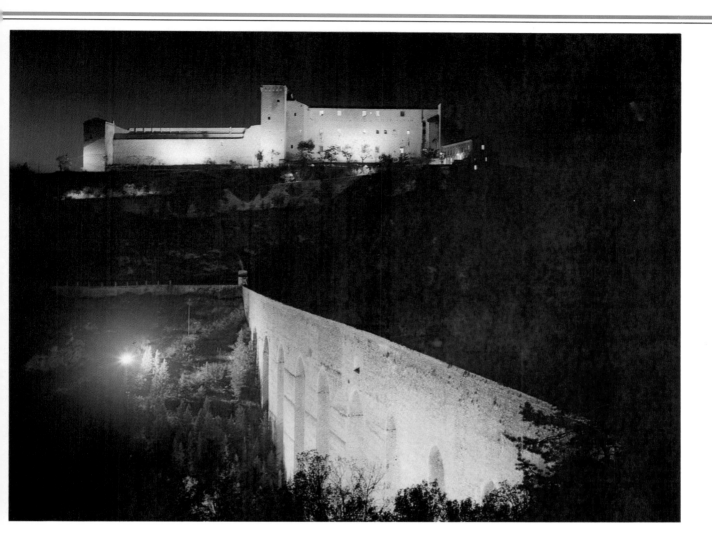

Sopra, veduta notturna della Rocca Albornoziana e del Ponte delle Torri da Monteluco.
Sotto, La Rocca (sec. XIV). Fatta costruire nella seconda metà del Trecento dal cardinale Gil Albornoz, è opera di Matteo Gattaponi da Gubbio. Al centro è la torre maestra detta la Spiritata.

Above, night view of Albornoz Fortress and Bridge of Towers from Monteluco.
Below, the Fortress (14th century). It was commissioned by Cardinal Gil Albornoz in the second half of the 14th century and is the work of Matteo Gattaponi of Gubbio. In the centre stands the main tower, known as the tower of «spirits».

Ci-dessus, vue nocturne de la Forteresse d'Albornoz et du Pont des Tours depuis Monteluco.
Ci-dessous, la Forteresse (la Rocca) (XVIe siècle). C'est le cardinal Gil Albornoz qui en ordonna la construction au cours de la seconde moitié du XIVe siècle. Elle est l'oeuvre de Matteo Gattaponi de Gubbio. Au centre se dresse la tour principale dite la «Spiritata».

Im Bild oben eine Nachtansicht der Burg und der Brücke «Torri da Monteluco».
Unten die Burg aus dem 14. Jahrhundert, die Kardinal Gil Albornoz von Matteo Gataponi aus Gubbio erbauen ließ. In der Mitte der Hauptturm, genannt «La Spiritata» (Geisterturm).

La Rocca e il Ponte delle Torri. Il castello ha pianta rettangolare, due cortili interni e sei torri imponenti. Sede per molti secoli dei governatori della città, fu trasformata nel 1877 in Casa di reclusione.

Fort and Bridge of Towers. The castle has a rectangular base, two inner courtyards and six mighty towers. For many centuries it acted as the seat of the town's governors and, in 1817, was transformed into a prison.

La Forteresse et le Pont des Tours. Le château est construit sur plan rectangulaire. Il comporte deux cours intérieures et six tours imposantes. Pendant des siècles, il fut le siège des gouverneurs de la ville et fut transformé en 1817 en maison de réclusion.

Noch einmal die Burg und die Brücke Ponte delle Torri.
Die Burg hat einen rechteckigen Grundriß, sie weist zwei Innenhöfe und sechs gewaltige Türme auf. Sie war viele Jahrhunderte lang der Sitz der Stadtverwalter, wurde aber 1817 in ein Gefängnis umgewandelt.

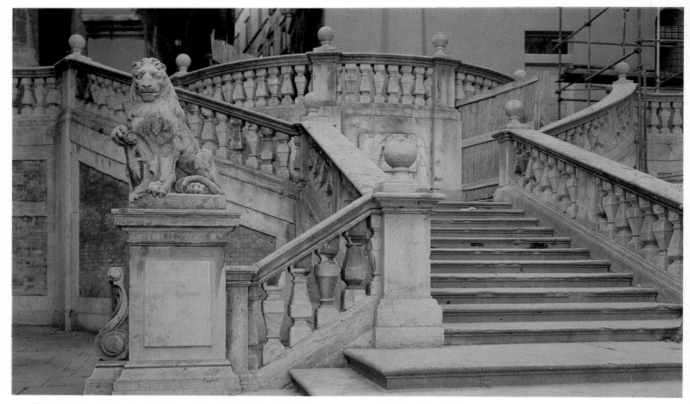

Foto sopra, scalinata da Piazza Pianciani a Via Fontesecca, opera di U. Tarchi (1923), che chiude scenograficamente il lato est della piazza.
Foto sotto, Banca Popolare di Spoleto; fondata nel 1895 con il nome di Banca Popolare Cooperativa, ha diverse filiali in Umbria.

Above, staircase leading from Piazza Piancini to Via Fontesecca, the work of U. Tarchi (1923), wich shuts off the East side of the square.
Below, Banca Popolare of Spoleto; founded in 1895 under the name of Banca Popolare Cooperative and now having diverse branches in Umbria.

Ci-dessus, Escalier menant de Piazza Pianciani à Via Fontesecca, oeuvre de U. Tarchi (1923), qui clot magistralement le côté est de la place.
Ci-dessous, Banque Populaire de Spoleto; fondée en 1895 sous le nom de Banque Populaire Coopérative, elle a de nombreuses filiales en Ombrie.

Oben der Treppenaufgang von der Piazza Piancini zur Via Fontesecca, ein Werk von U. Tarchi (1923). Er schließt die Osteseite des Platzes szenographisch ab..
Unten die Banca Popolare (Volksbank) von Spoleto; sie wurde 1895 mit der Bezeichnung «Banca Popolare Cooperativa» gegründet und hat in Umbrien mehrere Filialen.

Chiesa di S. Filippo Neri (sec. XVII). Fondata nel 1640, fu costruita in stile barocco dallo spoletino Loreto Scelli, sul modello di contemporanee chiese romane. La facciata e la cupola sono imponenti; l'interno è a tre navate divise da pilastri; il vicino ex convento dei Filippini è oggi sede del Tribunale.

Church of St. Filippo Neri (17th century). It was founded in 1640 and erected in the Baroque style by Loreto Scelli of Spoleto, keeping to the model of the contemporary Roman churches. The facade and dome are both mighty structures while the interior is formed of three naves divided by pillars. The nearby ex-convent of the «Filippini» is today the seat of The Tribunal.

Eglise Saint-Philippe de Néri (Chiesa di San Filippo Neri) (XVII siécle). Fondée en 1640, elle fut érigée en style baroque par l'artiste de Spoleto Loreto Scelli, sur le modéle d'eglises romaines de son temps. La façade et la coupole sont imposantes. Des piliers divisent l'intérieur en trois nefs. L'ex-couvent des oratoriens tout proche est aujourd'hui le siège du Tribunal.

Die Kirche S. Filippo Neri (17. Jahrh). Sie wurde 1640 gegründet und von Loreto Scelli in barockem Stil nach dem Muster gleichaltriger Kirchen in Rom erbaut. Gewaltig sind die Fassade und die Kuppel; das dreischiffige Innere ist durch Pfeiler unterteilt. Das benachbarte ehemalige Phlippiner Kloster ist heute der Sitz des Landgerichts.

Sopra, Chiesa (ex) dei SS. Giovanni e Paolo (sec. XII), fianco sinistro. Semplice edificio romanico, conserva all'interno e sopra la porta laterale all'esterno affreschi dei secoli XII,,XIII, XIV, XV, XVI, fra i quali una delle piú antiche rappresentazioni del martirio dell'arcivescovo di Canterbury S. Tommaso Becket (sec. XIII).
Sotto, Cassa di Risparmio di Spoleto. Sorta nel 1836 insieme alla Cassa di Roma, ha filiali in diverse città della regione.

Above, Church of St. John and St. Paul (12th century), the left side.
A simple, Romanesque building that preserves both inside and above the outer side door some frescoes of the 12th, 13th, 14th, 15th and 16th centuries, included among wich is one of the most ancient representations of the martyrdom of the Bishop of Canterbury, Thomas Becket (13th century).
Below, Cassa di Risparmio of Spoleto. This bank was founded together with that of Rome and has branches in various towns of the region.

Ci-dessus, ancienne église des Saints Jean et Paul (XIIe siècle), côte gauche. Edifice roman des plus dépouillés, elle conserve à l'interieur et au-dessus de la porte latérale à l'extérieur des fresques des XIIe, XIIIe, XIVe, XVe siécles, parmi lesquelles l'une des plus anciennes représentations du martyre de l'archeveque de Canterbury saint Thomas Becket (XIIIe siécle).
Ci-dessous, Banque de la Cassa di Risparmio de Spoleto. Fondée n 1836 en même temps que la Cassa di Roma, elle a des filiales dans différentes villes de la région.

Oben die ehemalige Kirche der Heiligen Johannes und Paulus (12. Jahrh.), von der linken Seite her gesehen.
Es handelt sich um ein schlichtes romanisches Gebäude, an dem innen und oberhalb des Seitentores außen noch Fresken aus dem 12., 13., 14., 15. und 16.
Jahrhundert erhalten sind. Darunter befindet sich eine der ältesten Darstellungen des Martyriums des Erzbischofs von Canterbury, S. Thomas Becket (13. Jahrh.).
Im Bild unten die Sparkasse von Spoleto. Sie entstand 1836 zusammen mit der «Cassa di Roma» und unterhält Niederlassungen in verschiedenen Städten der Region.

Sopra, Teatro Nuovo, interno. Costruito da Ireneo Aleandri tra il 1854 e il 1864, è stato decorato da G. Masella e V. Gaiassi; il sipario, raffigurante la Disfatta di Annibale sotto Spoleto, è di F. Goghetti.
Sotto, Teatro Nuovo, Facciata. Preceduta da un portico, è ornata di stucchi e medaglioni (Rossini, Alfieri, Goldoni, Metastasio) e da quattro statue in pietra del sec. XVII donate dal maestro G. Menotti. Il teatro è sede, fra l'altro, dal 1947 degli spettacoli del Teatro Lirico Sperimentale, fondato da A. Belli, e dal 1958 delle manifestazioni del Festival dei Due Mondi, creato da G. Menotti.

Above, Nuovo Theatre, the interior. Constructed by Ireneo Aleandri during the years 1854-1864 and decorated by G. Masella and V. Gaiassi. The curtain is by F. Coghetti and depicts the Defeat of Hannibal in the vicinity of Spoleto.
Below, Nuovo Theatre, the facade. It is precede by a portico and decorated with stuccoes and medallions (Rossini, Alfieri, Goldoni, Metastasio) and four statues of stone, dating from the 17th century, which were donated by the composer, G. Menotti. Since 1947, this theatre host shows given by the Experimental Opera Theatre founded by A. Belli and, since 1958, it hosts the Festival of the Two Worlds created by G. Menotti.

Ci-dessus, Teatro Nuovo, intérieur. Construit par Ireneo Aleandri entre 1854 et 1864; il a fé décoré par G. Masella et V. Gaiassi; le riedeau, représentant la défaite d'Hannibal sous les murs de Spoleto, est de F. Coghetti.
Ci-dessous, Teatro Nuovo, Façade. Précédé d'un portique, elle est ornée de moulures et de médaillons (Rossini, Alfieri, Goldoni, Metastasio) et de quatre statues en pierre du XVIIe siècle données par la maître G. Menotti. Le théâtre accueille entre autres depuis 1947 des spectacles du Théâtre Lyrique Expérimental, fondé par A. Belli, et depuis 1958 des manifestations du Festival des Deux Mondes, créé par G. Menotti.

Oben das Innere des «Teatro Nuovo». Es wurde von 1854 bis 1864 von Ireneo Aleandre erbaut und von G. Masella und V. Gaiassi ausgeschmückt. Auf dem Vorhang ist die Niederlage Hanibals unterhalb von Spoleto von F. Goghetti abgebildet.
Unten die Fassade des «Teatro Nuovo». Ihr ist eine Laube vorgelagert, der Schmuck besteht aus Stukkaturen und Medaillons (Rossini, Alfieri, Goldoni, Metastasio), sowie aus vier steinernen Standbildern aus dem 17. Jahrhundert, die Meister G. Menotti zum Geschenk gemacht hat.
In diesem Theater finden seit 1947 die Darbietungen des von A. Belli gegründeten Opern-Versuchstheaters statt, und seit 1958 auch die Veranstaltungen des Festivals der zwei Welten, das G. Menotti eingeführt hat.

Sopra, Teatro Caio Melisso, interno. Sorto nel XVII secolo come «Nobile Teatro», fu ricostruito nell'800 da G. Montiroli (1880) e intitolato al commediografo spoletino amico di Mecenate e dell'imperatore Augusto. Il bel soffitto con Apollo e le Muse e il sipario con Gloria di Caio Melisso sono D. Bruschi. Il teatro ospita spettacoli di ogni genere, soprattutto durante il Festival.
Sotto, Vicolo Filippo Marignoli, intitolato al fondatore del Teatro Nuovo.

Above, Caio Melisso Theatre, the interior. it was founded in the 17th century under the name of «Noble Theatre», was rebuilt in the 19th century by C. Montiroli (1880) and named after the playwright of Spoleto, friend of Mecenate and the Emperor Augustus. The beatiful ceiling with Apollo and the Muses and the curtain depicting the Glory of Caio Melisso, are both done by D. Bruschi. This theatre hold shows of all types, especially during the Festival.
Below, Vicolo Filippo Marignoli, named after the founder of Nuovo Theatre.

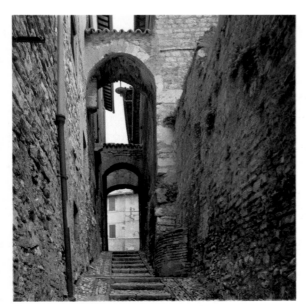

Ci-dessus, Théâtre Caio Melisso, intérieur. Fondé au XVIIe siècle en tant que «Noble Théâtre», il fut reconstruit au XIXe siècle par G. Montiroli (1880), et prit le nom de l'auteur dramatique de Spoleto ami de Mécène et de l'empereur Auguste.
Le beau plafond oú sont représentés Apollon et les Muses et le rideau à la gloire de Caio Melisso sont l'oeuvre de D. Bruschi. Le théâtre accueille des spectacles de toute sorte, surtout pendant le Festival.
Ci-dessous, Vicolo Filippo Marignoli, qui prit le nom du Teatro Nuovo.

Oben eine Innenaufnahme des Teatro Caio Melisso. Es entstand im 17. Jahrh. als «Nobile Teatro», wurde aber im 19. Jahrh. von G. Montiroli neu gebaut (1880) und nach dem Lustpielautor benannt, der ein Freund Mäzens und des Kaisers Augustus war. Die schöne Decke mit Apoll und den Musen, wie auch der Vorhang mit der Glorie des Caio Melisso, stammen von D. Bruschi. Im Theater finden Vorstellungen aller Art statt, besonders während des Festivals.
Im Bild unten die Gasse, die nach Filippo Marignoli, de Gründer des Teatro Nuovo, Benannt ist.

Sopra, Palazzo Ancaiani in Piazza della Libertà (sec. XVII) dopo essere stato la sede della Prefettura del Trasimeno; della Delegazione Apostolica e della Sottoprefettura, oggi ospita oltre alle Poste il Centro Italiano di Studi sull'Alto Medioevo, importante istituzione sorta nel 1951 ad opera dell'Accademia Spoletina con lo scopo di ampliare attraverso convegni (Settimane di Studio) e pubblicazioni la conoscenza della civiltà altomedioevale.
Veduta di Corso Mazzini da Piazza della Libertà.

Above, Ancaiani House in Piazza della Libertà (17th century).
First it was the seat of the Trasimeno Prefecture, then of the Apostolic Delegation and then again of the Sub-Prefecture.
Today, it houses the Post Office as well as the Italian Centre of Studies on the Dark Ages, an important institution founded in 1951 by the Spoleto Academy, whose aim is to extend with the aid of conventions (Study weeks) and publications, the knowledge of the civilization of the Dark Ages.
Corso Mazzini viwed from Piazza della Libertà.

Ci-dessus, Palais Ancaiani, situé piazza della Libertà (XVIIIe siècle). Après avoir été le siège de la Préfecture du Trasimène, de la délégation Apostolique et de la Souspréfecture, est occupé aujourd'hui par la Poste et par le Centre Italien d'Etudes du Haut Moyen Age, importante institution fondée en 1951 sur une initiative de l'Accademia Spoletina dans le but de répandre, par l'intermédiaire de rencontres (Settimane di Studio) et de revues, la connaissance de la civilisation du Haut Moyen Age.
Vue du Corso Mazzini de la piazza della Libertà.

Oben der Palazzo Ancaini auf dem Freiheitsplatz (Piazza della Libertà) aus dem 17. Jahrh. Es war zuerst der Sitz der Präfektur von Trasimeno, adnn der Apostolischen Delegation und der Unterpräfektur; jetzt ist außer der Post das Italienische Zentrum für Studien über das Hohe Mittelalter darin untergebracht, eine bedeutende Einrichtung, die 1951 von der «Accademia Spoletina» ins Leben gerufen wurde, zu dem Zweck, durch Tagungen (Studienwochen) und Schriften die Kenntnis der hochmittelalterlichen Kultur zu verbessern.
Ansicht des Corso Mazzini vom Freiheitsplatz aus.

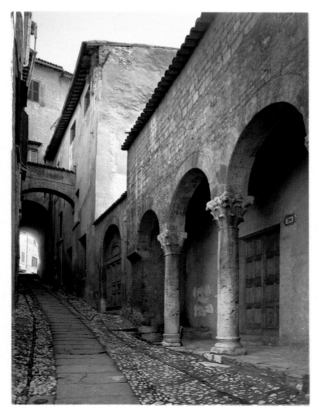

Sopra,Teatro Romano (I sec. d.C.).Situato fra Piazza Libertà e Via delle Terme, è stato riportato alla luce nel 1954.
L'orchestra, i primi gradini, i corridoi e un tratto della facciata sono originali, mentre le gradinate sono state ricostruite su tracce; la scena è andata distrutta per l'erezione dell'abside della Chiesa di S. Agata. Sullo sfondo è il chiostro del Monastero di S. Agata. Sullo sfondo è il chiostro del Monastero di S. Agata.
Sotto, Chiesa (ex) di S. Agata, portico (sec.XI). E' ad una navata e conserva affreschi del XII secolo. Nel Monastero è in allestimento la sezione spoletina del Museo Nazionale Archeologico di Perugia.

Above, Roman Theatre (1st century A.D.). It is situated between Piazza della Libertà and Via delle Terme, and was only brought to light in 1954. The orchestra pit, the first few steps, the corridor and part of the facade are the original structures, while the remaining steps have been constructued over the previous traces; the stage was destroyed during the construction of the apse of the Church of St. Agatha. In the background stands the cloister of St. Agatha's monastery.
Below, former Church of St. Agatha, the portico (11th century). It has a single nave and preserves some 12th century frescoes. The Spoleto Section of the Nationale Archeological Museum of Perugia is being arranged inside the monastery.

Ci-dessus, Théâtre Romain (Ier siècle apr.J.-C.). Situé entre piazza della Libertà et via delle Terme, il a été remis au jour en 1954. L'orchestre, les premiers gradins, les corridors et une partie de la façade sont encore originaux, tandis que l'ensemble des tribunes a été reconstruit d'après des empreintes; la scène fut détruite lors de la construction de l'abside de l'église Sainte-Agathe. Dans le fond apparaît le cloître du monastèere de Sainte-Agathe.
Ci-dessous, ancienne église Sainte-Agathe, portique (XIe siècle).
Sa nef unique conserve des fresques du XIIe siècle. Dans le monstère on aménage actuellement la section de Spoleto du Musée Archéologique National de Pérouse.

Oben das Römische Theater (1. Jahrh. n. Chr.). Es steht zwischen dem Freiheitsplatz und der Via delle Terme und wurde erst 1954 wieder ans Licht gebracht. Der Orchesterraum, die esten Stufen, die Flure und ein Teil der Fassade sind original, die oberen Stufen hingegen wurden den verbliebenen alten Spuren nachgebildet. Die Bühne wurde zerstört, weil man an dieser Stelle die Apsis der Kirche zur hl. Agatha erbaute. Im Hintergrund ist der Kreuzgang des nach der hl. Agatha benannten Klosters.
Unten die ehem. Kirche zur hl. Agatha mit der Laube (11. Jahrh.). Das einschiffige Innere birgt noch Fresken aus dem 12. Jahrh. In dem ehemaligen Kloster wird derzeit die Spoleto vorbehaltene Abteilung des Archäologischen Nationalmuseums von Perugia eingerichtet.

Sopra, Chiesa di S. Domenico (secoli XIII-XIV). Costruita in stile gotico ad una sola navata, conserva un bel portale nel fianco destro e all'interno importanti affreschi e tele. Notevoli la cappella della Maddalena e una tela secentesca di Giovanni Lanfranco.
Sotto, Mura poligonali in Via Cecili, uno dei tratti della cinta piú antica in strati sovrapposti (opera poligonale, quadrata e piccoli filari), dei secoli V, III e I a.C. In primo piano i resti di una torre in opera quadrata del III sec. a.C..

Above, Church of St. Dominic (13th-14th century). Constructed in the Gothic style with a single nave and displaying a beatiful portal on the right side, with important frescoes and paintings inside. Of speciale interest are the chapel of Mary Magdalen and an 18th century painting by Giovanni Lanfranco.
Below, the polygonal wall in Via Cecili, one of the oldest tracts of the wall composed of layers (polygonal, square work and small rows), dating from the 5th, 3rd and 1st century B.C.. In the foreground are the ruins of a tower in square work, dating from the 3rd century B.C..

Ci-dessus, église Saint-Domenique (XIII-XIV siècles). Bâtie en style gothique à aune seule nef, elle se pare d'un portail du côte droit et, à l'intérieur, d'importantes fresques et toiles.
Notons en particulier la chapellede Sainte-Madeleine et une toile du XVII siécle de Giovanni Lanfranco.
Ci-dessous, Murs polygonaux via Cecili, l'un des tronçons des remparts les plus anciens faits de couchs superposées (ouvrage polygonal, écarri et en petites rangées), des Ve, III et Ier Siècles av.J.-C. Au premier paln, les vestiges d'une en pierres ècarries du IIIe siècle av.J.-C..

Oben die Dominikus-Kirche (13. - 14. Jahrh.). Sie wurde einschiffig in gotischem Stil erbaut und hat noch ein schumuckes Portal in der rechten Seitenwand, und im Inneren sehenswerte Fresken und Gemälde auf Leinwand aufzuweisen. Beachtenswert ist die Kapelle der hl. Magdalena und ein Gemälde auf Leinwand von Giovanni Lanfranco aus dem 17. Jahrh.
Unten ein Abschnitt der vieleckigen Ringmauern der Stadt in der Via Cecili; es sind die ältesten und bestehen aus übereinanderliegenden Schichten (vieleckige Anlage unten, übereinanderliegenden Schichten (vieleckige Anlage unten, darauf viereckige Aufbauten und Kleine Zeilen). Sie stammen aus dem 5., 3. und 1. Jahrh. v. Chr. Im Vordergrun die Uberreste eines Turms mit viereckigem Grundriß aus dem 3. Jahrh. v. Chr..

Sopra, Chiesa (ex) di S. Nicolò, interno (sec. XIV). Ad un'unica navata con resti di affreschi e bellissima abside gotica, è oggi trasformata in salone da congressi e in luogo di spettacolo durante il Festival dei Due Mondi.
Sotto, Chiesa di S. Nicolò, portale della facciata, particolare della lunetta affrescata con la Madonna col Bambino e i SS. Agostino e Nicola (1412).

Above, former Church of St. Nicholas, the interior (14th century). A single-naved structure with remains of frescoes and a beatiful Gothic apse; today it is used for conferences and during the Festival of the Two Worlds some shows are held here.
Below, Church of St. Nicholas, portal of the facade, detail of the lunette fresco depicting the Madonna and Child and the Saints Augustine and Nicholas (1412).

Ci-dessus, Eglise Saint-Nicolas (San Niccolò), Intérieur (XIVe siècle). A une seule nef, elle garde des fragments de fresques et arbore une splendide abside gothique. C'est aujourd'hui un salon des congrès et un lieu de spectacles lors du Festival des Deux Mondes.
Ci-dessous, Eglise Saint-Nicolas (San Niccolò), portail de la façade, détail du gable orné de fresques avec la Vierge à l'Enfant et les saints Augustin et Nicolas (1412).

Oben das Innere der Nikolauskirche aus dem 14. Jahrh. Sie ist einschiffig und birgt Überreste von Fresken, sowie eine wunderschöne gotische Apsis. In neuerer Zeit wurde sie zu einer Kongreßhalle und zu einem Schauspielhaus für das Festival der zwei Welten umgestaltet.
Unten die Nikolauskirche, das Portal in der Fassadde, ein Detail der mit Fresken geschmückten Lünette: die Muttergottes mit dem Kind und die hl. Augustinus und Nicola (1412).

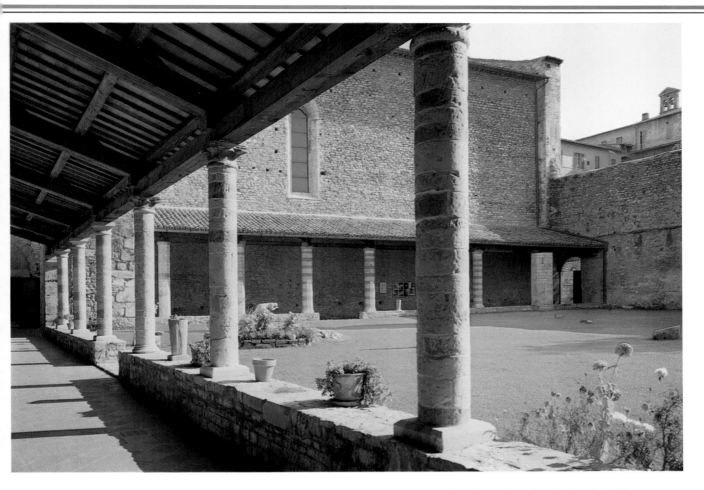

Sopra, Chiostro di S. Nicolò (sec. XIV). E' il piú antico dei due chiostri; pioggia su pilastri poligonali e colonnine in pietra bianca e rossa. Insieme a tutto il complesso è stato restaurato dall'Associazione «Amici di Spoleto». Sia nel chiostro che nella chiesa si svolgono mostre e rappresentazioni teatrali durante il Festival.
Sotto, Chiesa di S. Nicolò, facciata. E' a due spioventi, in stile gotico molto sobrio: uniche decorazioni il rosone, oggi scomparso, e il bel portale archiacuto e pilastrini.

Above, Cloister of St. Nicholas (14th century). It is the older of the two cloisters and rests on polygonal pillars and columns made of white and red stone. The restoration of the entire complex has been carried out by the «Friends of Spoleto» Association. Exhibitions and theatrical shows during the Festival are held in the Cloister as well as inside the church.
Below, Church of St. Nicholas, the facade. Of a very sober Gothic style with two slopes; the only decorations are the rose-window, not in existence today, and the beatiful portal, ogival in shape and made up of tiny pilasters.

Ci-dessus, cloître de Saint-Nicolas (XIVe siècle). C'est le plus ancien des deux cloîtres. Ses piliers polygonaux et ses petites colonnes sont faites de pierre blanche et rouge. De même que tout l'ensemble architectural, il a été restauré par l'Association «Amici di Spoleto». Tant dans le cloître que dans l'église se déroulent des expositions et des représentations théâtrales durant le Festival.
Ci-dessous, Eglise Saint-Nicolas (San Niccolò), Façade. A deux versants, elle est de style gothique très sobre: ses seules décorations sont la rosace, aujourd'hui disparue et son beau portail en archivolte à petits piliers.

Oben einer der Kreuzgänge von St. Nikolaus (14. Jahrh.). Es ist der ältere von zweien. Die Gewölbe ruhen auf vieleckigen Pfeilern und feinen Säulen aus weißem und rotem Stein. Auch dieser Kreuzgang wurde zusammen mit dem ganzen Gebäudekomplex von der Vereinigung der «Freunde von Spoleto» restauriert. Sowohl im Kreuzgang, als auch in der ehem. Kirche werden während des Festivals Ausstellungen und Bünnenveranstaltungen aufgezogen.
Unten die Nikolauskirche: die Fassade. Man sieht zwei Dachschrägen in sehr schlichtem gotischem Stil: die einzigen Verzierungen bestehen in der Fensterrose, die heute nicht mehr vorhanden ist, und in dem schönen Spitzobogenportal mit seinen zierlichen Säulen.

Sopra, Veduta della Torre dell'Olio (sec. XIII), la piú alta e integra della città. Il nome ricorda l'uso antico dell'olio bollente versato dalla torre a scopo difensivo. La costruzione è incorporata nel Palazzo Pompilj. A destra è un'altra torre mozza del sec. XIII, ornata di un rosoncino in cotto.
Sotto, Fontana di Via Cecili (sec. XIX), decorata in alto con lo stemma di Spoleto e recentemente restaurata (Amici di Spoleto).

Above, View of «Torre dell'Olio» (the Oil Tower), 13th century, intact and the highest one of the town. The name recalls the ancient practice of pouring boiling oil from the tower onto the enemies. The construction is incorporated in Pompili House. On the right stands another half-tower of the 13th Century, decorated with a small rose-window in brick.
Below, Via Cecili Fountain (19th century), decorated on top with the Spoleto coat-of-arms and recently restored (Friends of Spoleto).

Ci-dessus, Vue de la Torre dell'Olio (XIIIe siècle), la plus haute et la plus intacte des tours de la ville. Son nom rappelle l'ancienn usage de l'huile bouillante versée du haut de la tour dans un but de défense. Elle fait partie du Palais Pompili. A droite se trouve une autre tour tronquée du XIIIe siècle, ornée d'une petite rosace en brique.
Ci-dessous, Fontaine de via Cecili (XIX siècle), décorée dans le haut aux armes de Spoleto et récemment restaurée («Amici di Spoleto»).

Im Bild oben eine Ansicht der «Torre dell'Olio» (Olturm 13. Jahrh.). Es ist der höchste und am besten erhaltene der Stadt. Die Bezeichnung erinnert an den alten Brauch, zu Verteidigungszwecken siedendes Ol von der Höhe herabzugießen. Der Turm ist in den Palazo Pompilij einbezogen. Rechts befindet sich noch der Stumpf eines weiteren Turms aus dem 13. Jahrhundert, den eine kleine Fensterrose aus Backstein ziert.
Unten der Brunnen in der Via Cecili (19. Jahrh.); er ist oben mit dem Wappen von Spoleto geziert und wurde jüngst auf Veranlassung der Freunde von Spoleto restauriert.

Piazza Garibaldi, Chiesa di S. Gregorio Maggiore (sec. XI-XII) e a destra Porta S. Gregorio. La Chiesa è una delle piú antiche della città, dedicata ad un santo martire spoletino. Eretta in stile romanico fra il 1079 e il 1146 (vedi iscrizioni nell'interno), fu rinnovata nei secoli. La facciata è stata restaurata nel 1907 col ripristino della trifora. Il portico è cinquecentesco, mentre il campanile, simile in basso a quello del Duomo (sec. XII), fu terminato piú tardi nella parte superiore (sec. XV).

Piazza Garibaldi, Church of St. Gregory the Great (11th-12th century) and St. Gregory's Gate on the right. The church is one of the oldest in the town and is dedicated to a Martyr Saint of Spoleto.
Erected in the Romanesque style during the period 1079-1146 (see inscription inside) and renovated over the centuries. The facade was restored in 1907 together with the three-mullioned window. The portico dates from the 16th century while the bell-tower, whose lower portion is similar to that of the Duomo (12th century), had its upper part terminated much latere on (15th century).

Piazza Garibaldi, Eglise Saint-Grégoire-Majeur (San Gregorio Maggiore) (XIe-XII siècles) et à droite la Porte Saint-Grégoire.
L'église est l'une des plus anciennes de la ville, dédiée à un saint martyr de Spoleto. Erigée en style roman entre 1079 et 1146 (cf. inscriptions à l'intérieur), elle fut rénovée au cours des siècles.
La façade à été restaurée en 1907 et la fenêtre trilobée remaniée.
Le portique date du XVIe siécle, tandis que le clocher, semblable dans le bas à celui de la cathédrale (XIIe siécle fut terminé plus tard dans le haut (XVI siècle).

Der Garibaldiplatz mit der Kirche S. Gregorio Maggiore (11. - 12. Jahrh.) und rechter Hand das Portal zum hl. Gregorius. Dieses Gottheshaus ist eines der ältesten der Stadt und einem heiligen Märtyrer aus Spoleto geweiht. Es wurde von 1079 bis 1146 in romanischem Stil erbaut (man beachte die Inschriften im Inneren), aber im Lauf der Jahrunderte Neuerungen unterzogen. Die Fassade hat man 1907 unter Wiederherstellung des Dreibogenfensters restauriert. Der Laubengang stammt aus dem 16. Jahrhundert, der Glockenturm., der im unteren Teil demjenigen des Domes ähnelt (12. Jahrh), wurde aber erst später im oberen Abschnitt fertiggestellt (15. Jahrh.).

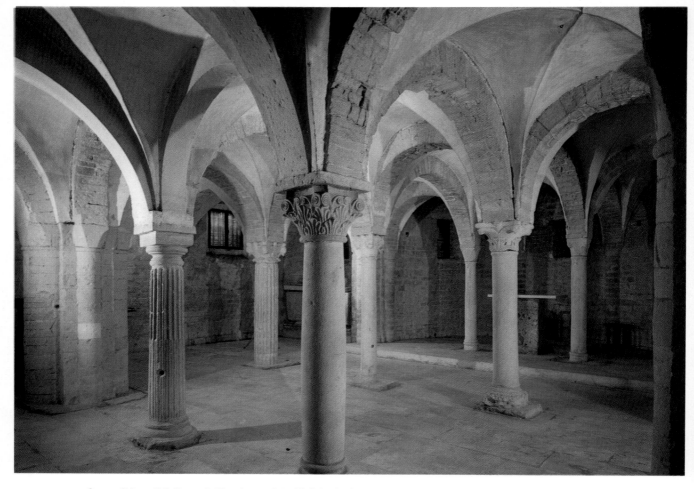

Sopra, Chiesa di S. Gregorio Maggiore, cripta. E' divisa in cinque navate e triabsidata. Nelle colonne è usato materiale di spoglio di varie epoche (secoli VI-VIII).
Sotto, Chiesa di S. Gregorio Maggiore, cripta, particolare con il sarcofago indicato tradizionalmente come sepolcro di S. Abbondanza, fondatrice dell'edificio.
Sotto a destra, Affresco raffigurante la Madonna del Latte (sec. XV).

Above, Church of St. Gregory the Great, the crypt. It is divided into five naves and has three apses. The columns were made out of castoff material belonging to a variety of periods (6th-8th century).
Below, Church of St. Gregory the Great, the crypt: detail with the sarcophagus that is traditionally indicated as the sepulchre of St. Abbondanza, founder of the building.
Below on the right, Fresco depicting the Madonna of Milk (15th century).

Ci-dessus, Eglise Saint-Grégoire-Majeur, la crypte. Elle se divise en cinq nefs et comporte une triple abside. Pour ériger ses colonnes on utilisa un matériel ancien de différentes époques (VIe-VIII siècles).
Ci-dessous, Eglise Saint-Grégoire-Majeur, crypte, détail montrant le tombeau que l'on considère généralement comme le sépulcre de sainte Abondance, fondatrice de l'édifice.
Ci-dessous à droite, fresque représentant la Vierge du Lait (XVe siècle).

Im Bild oben die Krypta von S. Gregorio Maggiore. Sie ist in fünf Schiffe unterteilt und weist drei Apsiden auf. Für die Säulen wurden Bruchstücke von Bauten aus verschiedenen Epochen verwendet.
Unten die Kirche S. Gregorio Maggiore mit einer Ansicht der Krypta und im einzelnen des Sarkophags, den man herkömmlicherweise als Grabstätte der hl. Abbondanza, der Begründerin des Gotteshauses, bezeichnet.
Im Bild unten rechts ein Fresko, das die Madonna der Milch darstellt (15. Jahrh.).

Sopra, Chiesa di S. Gregorio Maggiore, interno a tre navate divise da colonne e pilastri cruciformi, in stile romanico lombardo. Il presbiterio, sopraelevato e ornato di tre absidi, è stato restaurato nel 1947-50.
Sotto, Affreschi nei pressi della sagrestia raffiguranti la Madonna col Bambino e i SS. Sebastiano, Rocco e Abbondanza (1526) e un piccolo tabernacolo in pietra (sec. XVI).

Above, Church of St. Gregory the Great: Romanesque-Lombard style interior of three naves divided by columns and cross-shaped pilasters.
The raised presbytery decorated with three apses, was restored in 1947-50.
Below, Frescoes in the sacristy area depicting the Madonna and Child and the Saints, Sebastian, Rocco and Abbonadanza (1526), as well as a small tabernacle of stone (16th century).

Ci-dessus, Eglise Saint-Grégoire-Majeur (San Gregorio Maggiore) intérieur à trois nefs divisées par des colonnes et des piliers en forme de croix, de style roman lombard. Le choeur, surélevé et se terminant par trois absides a été restauré entre 1947 et 1950.
Ci-dessous, Fresque placées près de la sacristie et représentant la «Vierge à l'Enfant et les saints Sébastien, Roch et Abondance» (1526). Le petit tabernacle en pierre date du XVIe siècle.

Oben das Innere der Kirche San Gregorio Maggiore: es ist dreischiffig, durch Säulen und kreuzförmige Pfeiler in romanisch-lombardischem Stil unterteilt. Das Presbyterium ist erhaben und durch drei Apsiden aufgelockert. Man hat es 1947-50 restauriert.
Im Bild unten Fresken in der Nähe der Sakristei: sie stellen die Muttergottes mit dem Kind und die Heiligen Sebastian, Rochus und Abbondanza (1526) dar. Hier ist auch ein kleiner steinerner Tabernakel zu sehen (16. Jahrh.).

Sopra, Chiesa di S. Ponziano (sec. XII-XIII). Dedicata al martire spoletino patrono della città costruita in stile romanico.
Le tre absidi sono ornate di archetti pensili e ripartite da lesene.
Sotto, Chiesa di S. Ponziano, cripta. Affresco raffigurante la Trinità con devoti e devote (sec. XV).

Above, Church of St. Ponziano (12th-13th century), dedicated to the Spoleto martyr, patron of the town. It is Romanesque in style and has three apses decorated with hanging arches and divided by pilasters.
Below, Church of St. Ponziano, the crypt. Fresco depicting the Trinity with devoted followers (15th century).

Ci-dessus, Eglise San Ponziano (XIIe-XIII siècles).
Dédiée au martyr de Spoleto saint patron de la ville, elle est de style roman. Ses trois absides sont ornés de petits arcs suspendus et réparties par des lésènes.
Ci-dessous, Eglise San Ponziano, crypte. Fresque représentant la Sainte Trinité, des dévots et des dévotes (XV siècle).

Oben die Kirche S. Ponziano (12. - 13. Jahrh.). Sie ist dem Märtyrer geweiht, der auch zum Stadtpatron erkoren wurde; die Stilrichtung ist romanisch. Die drei Apsiden sind mit Hängebögen geschmückt und durch Lisenen unterteilt.
Unten die Krypta der Kirche S. Ponziano. Abgebildet ist ein Fresko, das die Dreifaltigkeit mit frommen Männern und Frauen darstellt (15. Jahrh.)..

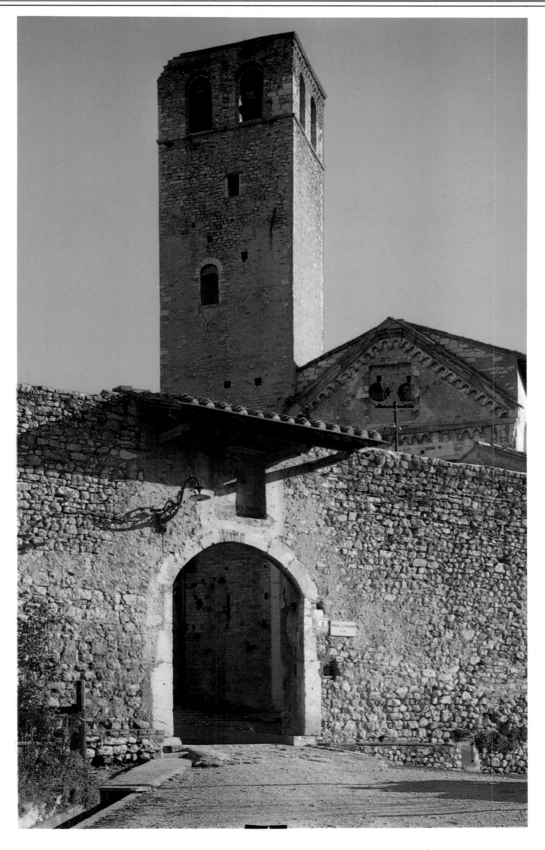

Arco di accesso alla Chiesa e al Monastero di S. Ponziano, ornato di una nicchia in cui il santo è raffigurato armato e a cavallo (sec. XVIII). Sono visibili la facciata e il campanile della chiesa. La facciata è suddivisa da forti cornici e sovrastata da un massiccio timpano; belle le sculture con i simboli degli evangelisti intorno al rosone (perduto) e nel portale.

Arch giving access to the Church and Monastery of St. Ponziano, with a niche wherein the Saint is depicted wearing armour and sitting/astride a horse. (18th century). The facade and bell-tower of the church are both visible: the former is divided by heavy cornices and surmounted by a massive tympanum. There are some beautiful sculptures with symbols of evangelist all round the rose-window (destroyed) and on the portal.

Arc donnant accès à l'église et au monastère de S. Ponziano, orné d'une niche où le saint est représenté armé, et à cheval (XVIIIe siècle). Nous noterons plus particulièrement la façade et le clocher de l'église. La façade est subdivisée par de solides corniches; un tympan massif la surmonte; de belles sculptures symbolisant les évangelistes l'orenent autour de la rosace (disparue) et sur le portail.

Der Torbogen des Zugangs zur Kirche und zum Kloster von S. Ponziano. Er ist mit einer Nische geziert, in wercher der Heilige in Waffen und zu Pferd dargestellt ist (18.Jahrh.). Man sieht auch die Fassade und den Glockenturm der Kirche. Erstere ist durch stark vorspringende Mauerkränze unterteilt, mit einem massiven Tympanon darüber. Sehenswect sind die Skulpturen mit den Symbolen der Evangelisten rund um die (leider verlorengegangene) Fensterrose und im Portal.

◄ Sopra, Chiesa di S. Ponziano, cripta. Simile a quella di S. Gregorio, ha volte a crociera ed è divisa in cinque navatelle e altrettante absidiole; molte colonne e capitelli sono di spoglio.
Sotto a sinistra, Affresco raffigurante Angelo con due oranti del Maestro di Fossa (sec. XIV).
A destra, Madonna col Bambino, affresco del sec. XV.

Above, Church of St. Ponziano, the crypt. Similar to that of St. Gregory's with cross-vaults, five naves and the same number of apses.
Many of the columns and capitals are made out of cast-off material.
Below on the left, Fresco depicting an Angel with two figures praying, by the «Maestro» of Fossa (14th century).
On the right, Madonna and Child, fresco of the 15th century.

Ci-dessus, Eglise San Ponziano, crypte. Semblable à celle de Saint-Grégoire, elle comporte des voûtes d'artes et se divise en cinq petites nefs et autant d'absidioles; nombre de colonnes et de chaiteaux dérivent d'autres édifices.
Ci-dessous à gauche, Fresque représentant un ange et deux personnages priant, oeuvre du Maître de Fossa (XIVe siécle).
A droite, Vierge à l'Enfant, fresque du XVe siècle.

Oben dei Krypta der Kirche S. Ponziano. Sie ähnelt derjenigen von S. Gregorio Maggiore, weist Kreuzgewölbe auf und ist in fünf kleine Schiffe und ebenso viele kleine Apsiden gegliedert. Viele Säulen und Kapitelle stammen von älteren Kunstbauten.
Unten links ein Fresko, das einen Engel mit zwei Betenden darstellt, ein Werk des Meisters von Fossa (14. Jahrh.).
Rechts die Muttergottes mit dem Kind, ein Fresko aus dem 15. Jahrh.

Chiesa di S. Ponziano, facciata (sec. XII-XIII) e a sinistra il Monastero.

Church of St. Ponziano, the facade (12-13th century) and, on the left the Monastery.

Eglise San Ponziano, façade (XII-XIIIe siècles), et à gauche, le Monastère.

Die Kirche S. Ponziano: Fassade (12. - 13. Jahrh); links das kloster.

Sopra, Chiesa di S. Ponziano, cripta, Absidiola di sinistra con affreschi del XIV e XV sec.: S. Sebastiano, Madonna in trono col Bambino, S. Rocco e tre Madonne col Bambino.
Sotto, le tre absidiole centrali con affreschi: Crocifissione (XIV. sec.) e Trinità (XV sec.).

Above, Church of St. Ponziano, the crypt, left apse with 14th and 15th century frescoes: St. Sebastian, Madonna and Child enthroned, St. Rocco and three versions of the Madonna and Child.
Below, the three central apses with frescoes: Crucifixion (14th century) and Trinity (15th century).

Ci-dessus, Eglise San Ponziano, crypte, Absidiole de gauche avec des fresques des XIVe et XVe siècles: «Saint Sébastien», la «Vierge sur le Trône et l'Enfant», «Saint Roch» et trois «Vierges à l'Enfant».
Ci-dessous, Les trois absidioles centrales ornées de fresques: «Crucifixion» (XIV siècle) et «Trinité» (XV siècle).

Im Bild oben die Krypta von S. Ponziano, sowie die linksseitige Apsis mit Fresken aus dem 14. und 15. Jahrhundert: der hl. Sebastian, die Muttergottes mit dem Kind auf dem Thron, der hl. Rochus und dann wiederum drei Madonnen mit dem Jesuskind.
Unten die drei mittleren Apsiden, wiederum mit Fresken geschmückt: Kreuzigung aus dem 14. Jahrhundert und eine Dreifaltigkeit aus dem 15. Jahrhundert.

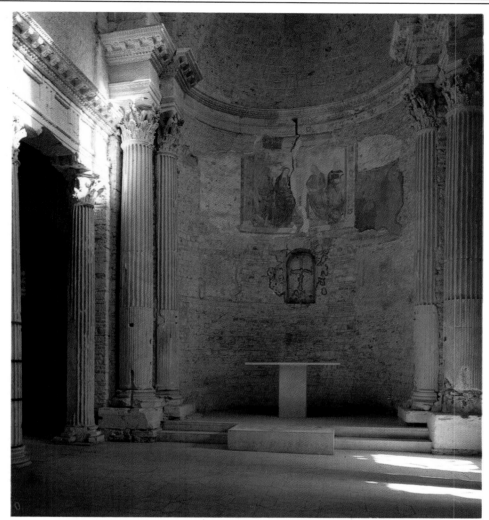

Sopra, Basilica paleocristiana di S. Salvatore (sec. IV), interno.
E' la più antica chiesa spoletina, divisa in tre navate da colonne architravate, spoglie di un tempio romano. Nel presbiterio colonne corinzie e trabeazione dorica sono felicemente accostate.
Oggi le colonne sono legate da muri posti nell'VIII secolo dopo un incendio o un crollo.
Sotto a sin.Basilica di S. Salvatore, facciata con splendidi ornamenti nelle porte e finestre (sec. IV), imitati nel Tempietto del Clitumno e nelle chiese romaniche spoletine.
A destra, Affresco raffigurante Crocifissione (sec. XIV) nella navata destra della chiesa.

Above, Paleochristian Basilica of St. Salvatore (4th century), the interior. It is Spoleto's oldes church, divided into three naves by architrave columns, the cast-offs from a Roman temple. The presbytery displays a happy mixture of Corinthian columns and Doric pediments. Today, these columns are joined by walls placed here in the 8th century after a fire or collapse.
On the right, Basilica of St. Salvatore, the facade with splendid ornaments in the doors and windows (14 century), copied in the Temple of Clitumno and in Spoleto's Romanesque churches.
Below on the left, a fresco depicting the Crucifixion (14th century) in the right nave of the church.

Ci-dessus, Basilique paléomchrétienne de Saint-Sauveur (San Salvatore) (IVe siècle), intérieur. C'est la plus ancienne église de Spoleto, divisée en trois nefs par des colonnes à architrave, reprise d'un temple romain. Dans le choeur des colonnes corinthiennes et un entablement dorique se côtoient harmonieusement.
Aujourd'hui les colonnes sont reliées par des murs placés au VIIIe siècle à la suite d'un incendie au d'un écroulement.
A gauche,Basilique Saint-Sauveur (San Salvatore), façade parée de splendides ornements tant sur les portes qu'aux fenêtres (IVe siècle), imités dans le Temple du Clitumne et dans les églises romanes de Spoleto.
Ci-dessous à droite, Fresque représentant la «Crucifixion» (XIVe siècle) dans la ef de droite de l'église.

Oben die frühchristliche Basilika des hl. Salvatore (4. Jahrh.): Innenansicht. Es ist das älteste Gotteshaus von Spoleto, durch Säulen mit darüberliegenden Stürzen die aus einem römischen Tempel stammen, in drei Schiffe unterteilt. Im Presbyterium sind die korinthischen Säulen und das dorische Gebälk glücklich aufeinander abgestimmt.
Im 8. Jahrhundert hat man die Säulen infolge einer Feuersbrunst und des daraufolgenden Einsturzes durch Mauern miteinander verbunden.
Links die Basilika S. Salvatore. Wir sehn die Fassade mit prächtigen Ornaten in den Türen und Fenstern (4. Jahrh); diese wurden im kleinen Tempel von Clitumno und in den romanischen Kirchen von Spoleto nachgeahmt.
Unten rechts ein Fresko, das die Kreuzigung darstellt (14. Jahrh.); es ist im rechten Seitenschiff der Kirche zu sehen.

Sopra, Stazione ferroviaria (1946) e in primo piano l'imponente scultura di A. Calder, Teodolapio (1962), realizzata in occasione della mostra «Sculture nella città», organizzata per il V Festival dei Due Mondi, e rimasta poi come ornamento della piazza.
Sotto, Teodolapio di A. Calder, particolare.

Above, the railway station and in the foreground, the mighty sculpture by a Calder entitled Teodolapio (1962), made espressly for the exhibition «Sculpture in the Town», organized in occasion of the 5th Festival of the Two Worlds, and now left in the square as a decoration.
Below, detail of Teodolapio by A. Calder.

Ci-dessus, Gare ferroviaire (1946) et au premier plan l'imposante sculpture de A. Calder, Teodolapio (1962), réalisée à loccasion de l'exposition «Sculptures dans la ville», organisée pour le Ve Festival des Deux Mondes, et laissée là ensuite en tant qu'ornement de la place.
Ci-dessous, «Teodolapio» de A. Calder, détail.

Im Bild oben der Bahnhof (1946) und im Vordergrund das gewaltige, von A. Calder gehauene Standbild des Theodolapius (1962). Es wurde anläßlich der Ausstellung «Skulpturen in der Stadt» angefertigt, die man anläßlich des 5. Festivals der zwei Welten aufzog, und blieb dann zur Zierde auf dem Platz.
Im Bild unten ein Detail der Theodolapius-Statue von A. Calder.

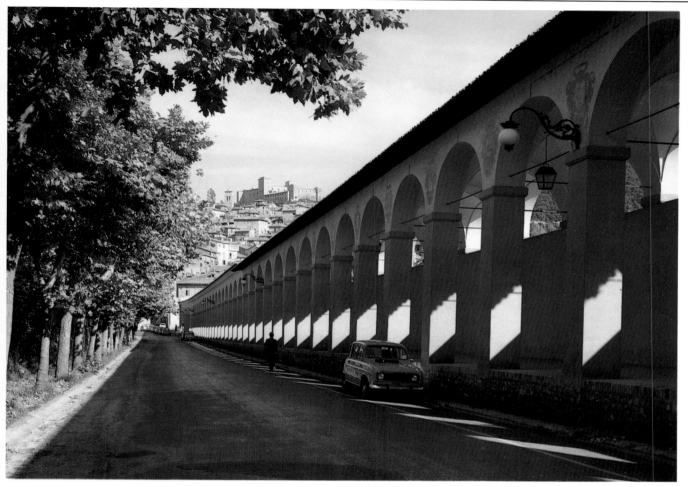

Sopra, Portico della Madonna di Loreto (sec. XVI-XIX). Lungo circa m. 300, fu costruito per il riparo dei pellegrini che giungevano a visitare la vicina chiesa omonima. E' stato restaurato a cura dell'Associazione Amici di Spoleto nel 1971-72.
Sotto, Porta S. Matteo (sec. XIII). Fu costruita dopo il 1296, quando venne eretta la nuova cerchia di mura, di cui si vedono i resti a sinistra della porta. E' stata edificata con blocchi romani e pietre conce.

Above, Portico of the Madonna of Loreto (16th-19th century). It is 300 metres in length and was constructed as a shelter for the pilgrims who came to visit the nearby church of the same name. It was restored by the Friends of Spoleto Association in 1971-72.
Below, St. Matthew's Gate (13th century). It was erected after 1296, when the new encircling walls were built the remains of which can been seen on the left of the gate. It was constructed with Roman blocks and hewn stone.

Ci-dessus, Portique de la «Vierge de Loreto» (XVIe-XIXe siècles). D'une longueur de 300 m environ, il fut construit en tant qu'abri pour les pèlerins qui venaient visiter l'église homonyme toute proche. Il a été restauré aux soins de l'Association «Amici di Spoleto» en 1971 et 1972.
Ci-dessous, Porte Saint-Matthieu (San Matteo) (XIIIe siècle). Elle fut érigée après 1296, alors que fut bâtie la nouvelle enceinte de murs, dont on voit les vestiges à gauche de la porte. Elle a été édifiée grâce à des blocs romains et à des moellons.

Oben der Laubengang der Madonna von Loreto (16. und 19. Jahrh.). Er ist ungefähr 300 m lang und wurde als Zufluchtsstätte der Pilger erbaut, die herbeiströmten, um die nahe gleichnamige Kirche zu besichtigen. Der Laubengang wurde auf Veranlassung der Vereinigung «Freunde von Spoleto» in den Jahren 1971 - 72 restauriert.
Im Bild unten das Tor Porta S. Matteo aus dem 13. Jahrh., das nach 1296 errichtet wurde, als man die neuen Stadtmauern anlegte, deren Überreste links vom Portal zu sehen sind. Erbaut wurde es aus Steinblöcken aus der Römerzeit und behauenen Natursteinen.

Sopra, Veduta del Monteluco con alle falde la Chiesa di S. Pietro extra moenia (fuori le mura).
Sotto, in alto, Chiesa di S. Pietro (sec. XII-XIII), formella della facciata posta sopra la porta laterale sinistra, raffigurante S. Michele Arcangelo, in basso, formella raffigurante santo vescovo, sopra la porta laterale destra.

Above, View of Monteluco with the Church of St. Peter down below outside the walls.
Below, the Church of St. Peter up above (12th-13th century), a panel of the façade situated above the door on the left side and depicting.
The Archangel St. Michael, below, a panel depicting the holy Bishop, above the door on the right side.

Ci-dessus, Vue de Monteluco et, à ses pieds, l'église Saint-Pierre-Hors-les-Murs (San Pietro extra moenia).
Ci-dessous, en haut, Eglise Saint-Pierre (XIIe-XIIIe siècle), un panneau de la façade, placé au-dessus de la porte latérale de gauche, représentant saint Michel-Archange.
En bas, panneau représentant un saint évêque, au-dessus de la porte latérale de droite.

Im Bild oben eine Ansicht des Monteluco; am Hang dieses kleinen Berges die Kirche S. Pietro extra moenia (außerhalb der Mauern).
Im unteren Bild oben die Kirche S. Pietro (12. - 13. Jahrh.) mit der Zierplatte in der Fassade oberhalb des linken Seitenportals, die den hl. Erzengel Michael darstellt.
Unten ein weiteres Relief mit dem hl. Episkopus oberhalb des rechten Seitenportals.

Chiesa di S. Pietro (sec. XII-XIII). Costruita in stile romanico, è stata poi nei secoli successivi restaurata e completata.

La facciata è ancora quella romanica, divisa da lesene e cornici pronunciate in simmetriche riquadrature. Bellissima e unica è la decorazione scultorea, opera di artisti locali dotati di una grande capacità espressiva e di un gusto sapido e vivace.

Church of St. Peter (12th-14th century). Constructed in the Romanesque style and the restored and terminated in the centuries following. The facade is the original Romanesque one, divided by pilasters and cornices arranged in symmetrical squares. The beatiful and unique sculptural decoration is the work of local artists gifted with a very fine taste in both expression and liveliness.

Eglise Saint-Pierre (XIIe-XIIIe siècles). Bâtie en style roman, elle a été restaurée et complétée au cours des siècles.

La façade, non remaniée, est subdivisée par des lésènes et des corniches délimitant des panneaux symétriques. La décoration sculpturale, remarquable et unique en son genre, est l'oeuvre d'artistes locaux dotés de grandes capacités espressives et d'un goût sagace et vif.

Die Kirche von St. Peter (12. - 13. Jahrh.). Sie wurde ursprünglich in romanischem Stil gebaut, dann aber im Lauf der Jahrhunderte restauriert und vervollständigt. Die Fassade ist heute noch die ursprüngliche romanische, durch Lisenen unterteilt und aufgesetzte Mauerkränze in symmetrische Felder gegliedert. Wunderschön, ja einzigartig sind die bildhauerischen Dekore, geschaffen von einheimischen Künstlern, die hier große Ausdrucksfähigkeit und guten Geschmack an den Tag legten.

Sopra. Chiesa di S. Pietro, facciata, il leone combatte contro il dragone, particolare della decorazione scultorea (sec. XII-XIII).
Sotto a sinistra il contadino con i buoi, particolare delle sculture del portale (sec. XIII).
Sotto a destra , veduta complessiva dei rilievi della facciata.

Above, Church of St. Peter, the facade: a lion fighting against a dragon, a detail of the sculptural decoration (12th-13th century).
Below on the left, , a farmer with his oxen, a detail of the sculpture on the portal (13th century).
Belowon the right,an entire view of the reliefs on the facade.

Ci-dessus, Eglise Saint-Pierre, façade, «Le lion combat contre le dragon», détail de la décoration   sculpturale (XIIe, XIIIe siècle).
Ci-dessous àgauche.«le paysan et ses boeufs», détail des sculptures du portail (XIII siècle).
Ci-dessous, à   droite, Vue de l'ensemble des bas-reliefs de la façade.

Im Bild oben die Fassade der Peterskirche. Der Löwe kämpft gegen den Drachen (Detail der bildhauerischen Dekore aus dem 12. - 13. Jahrh.).
Unten links ein Bauer mit Ochsen, wieder ein Detail aus den Skulpturen des Portals (13. Jahrh.).
Unten rechts eine Gesamtansicht der Reliefs an der Fassade.

A sinistra, La morte del giusto, La morte del peccatore, Il leone e il boscaiolo (sec. XII-XIII).
A destra, La lavanda dei piedi, Vocazione dei SS. Pietro e Andrea, La volpe finta morta e i corvi.
Decorazione della facciata (vedi foto alla pag. precedente): In alto sono raffigurati i SS. Pietro e Andrea e due tori simboli del sa-
crificio; al centro tre rosoni, di cui quello centrale (scomparso) conserva i quattro simboli degli evangelisti: l'aquila (Giovanni),
l'angelo (Matteo), il toro (Luca), e il leone (Marco); in basso dieci storie tratte dal Nuovo Testamento e da favole e bestiari medievali: Morte del giusto, Morte del peccatore, Il leone e il boscaiolo, Il leone e l'uomo genuflesso, Il leone assale il soldato, La lavanda dei piedi, Vocazione dei SS. Pietro e Andrea, La volpe finta morta e i corvi, Il lupo studente e il montone, Il leone combatte
contro il dragone (sec. XII-XIII). I rilievi del portale (sec. XIII) rappresentano il cammino dell'anima dal peccato alla salvezza, dal
lavoro del contadino, attraverso il cervo (redenzione) al pavone (immortalità).

On the left, Death of the just, Death of the sinner, the lion and the woodman (12th-13th century).
On the right, The washing of the feet, Vocation of Saint Peter and St. Andrew, The fox playing dead and the crows.
Decoration of the facade (see photograph on the preceding page): up above are Saint Peter and St. Andrew and two bulls,
symbolic of the sacrifice; at the centre lie three rose-windows, of wich the central one (nov lost) preserves four symbols of the
evangelists: the eagle (John), the angel (Mattew), the bull (Luke) and the Lion (Mark); below are ten stories taken from the New
Testament and from fables and medieval beasts: Death of the just, Death of the sinner, The lion and the woodman, The lion and
the genuflecting man, The lion attacks the soldier, The washing of the feet, Vocation of St. Peter and St. Andrew, The fox
playing dead and the crows, The student wolf and the ram, The lion fighting against the dragon (12th-13th century).
The reliefs on the portal (13th century) represent the sinner's soul on the path to salvation, from the work of the farmer, through
the deer (redemption) to the peacock (immortality).

A gauche, «La Mort du Juste», «La Mort du Pécheur», «Le lion et le bûcheron» (XII-XIIIe siècles).
A droite, «Le lavement des pieds», «Vocation des saints Pierre et André», «Le renard qui feint d'être mort et les corbeaux».
Décoration de la façade (cf. photos page précédente): en haut sont représentés les saints Pierre et André et deux taureaux,
symbole du sacrifice; au centre trois rosaces, dont celle du centre (disparue) conserve encore les quatre symboles des
évangélistes: l'aigle (Jean), l'ange (Matthieu), le taureau (Luc) et le lion (Marc); en bas, dix épisodes tirés du Nouveau
Testament, ou de fables et de bestiaires du moyen âge: «Mort du Juste», «Mort du Pécheur», «Le lion et le bûcheron», «Le lion
et l'homme agenouillé», «le lion assaillant le soldat», «Le lavement des pieds», «La vocation des saint Pierre et André», «Le
renard qui fent d'être mort et les corbeaux», «Le loup étudiant et le mouton», «Le lion combattant contre le dragon» (XIIe-XIII
siècles).
Les bas-reliefs du portail (XIIIe siècle) représentent l'acheminement de l'âme du péché au salut, du travail du paysan, à travers
le cerf (rédemption), au paon (immortalité).

Links der «Tod des Gerechten», der «Tod des Sünders», der Löwe und der Waldarbeiter (12. - 13. Jahrh.).
Rechts die Fußwaschung, die Berufung der hl. Petrus und Andreas; ferner der Fuchs, der sich tot stellt, und die Raben.
Verzierungen der Fassade (siehe Bild auf der vorhergehenden Seite): oben sind die Heiligen Petrus und Andreas und zwei
Stiere als Symbole des Opfers dargestellt; in der Mitte drei Fensterrosen, von denen die (leider verschwundene) mittlere nur
noch die Symbole der Evangelisten aufweist: den Adler (Johannes), den Engel (Matthäus), den Stier (Lukas) und den Löwen
(Markus). Im unteren Abschnitt zehn Geschichten aus dem neuen Testament, sowie Schilderungen von Fabeln und Bestia-
rien aus dem Mittelalter, der Tod des Gerechten, der Tod des Sünders, der Löwe und der Waldarbeiter, der Löwe und der
kniende Mensch, der Löwe, der einen Soldaten überfällt, die Fußwaschung, die Berufung der hl. Petrus und Andreas, der
sich tot stellend Fuchs und die Raben, der studierende Wolf und der Bock, der Löwe, der gegen den Drachen ankämpft (12.
-13. Jahrh.). Die Reliefs des Portals (13. Jahrh.) stellen den Wandel der sündigen Seele zum Heil in Form des Bauern über
den Hirschen (Sinnbild der Erlösung) bis zum Pfau (Unsterblichkeit) dar.

Sopra, La Rocca e il Ponte delle Torri visti dalla statale Flaminia sud, ornata di bandiere in occasione del Festival dei Due Mondi.
Sotto, caratteristiche vecchie case spoletine. Costruite in genere nella locale pietra grigiastra, sopravvivono in gran numero, anche se con successive modifiche e riadattamenti.

Above, The Fortress and the Bridge of Towers as viewed from South Flaminia State highway, both adorned with flags in occasion of the Festival of the Two World.
Below, some characteristic old houses in Spoleto. Normally constructed of local, grey stone, these houses still exist today in large numbers, even though they have undergone successive modifications and adaptations.

Ci-dessus, la Forteresse et le Pont des Tours, vus de la route nationale Flaminia sud, ornée de drapeaux à l'occasion du Festival des Deux Mondes.
Ci-dessous, Vieilles maisons typiques de Spoleto. Bâties en général au moyen de la pierre grisâtre extraite en ces lieux, elles demeurent encore sur pied en grand nombre, mais ont subi maintes modifications et adaptations successives.

Oben die Burg und die Brücke «Ponte delle Torri», von der Via Flaminia im Süden aus gesehen: der Fahnenschmuck gilt dem Festival der zwei Welten.
Im Bild unten charakteristische alte Häuser von Spoleto.
Man hat sie gewöhnlich aus dem örtlichen grauen Gestein gebaut, und es sind noch viele solche an der Zahl, wenn auch später Änderungen und Anpassungen vorgenommen wurden.

Panorama della città con la Rocca albornoziana in primo piano, poi scendendo a sinistra il Duomo, il Palazzo Comunale, le Chiese di S. Domenico e S. Gregorio Maggiore e tutta la città vecchia addossata al colle; sullo sfondo i nuovi quartieri cittadini che si distendono verso la pianura.

A panoramic view of the town with Fort Albornoz in the foreground, then down on the left the Duomo, Town Hall, the churches of St. Dominic and St. Gregory the Great and the entire old town set up against the hill; in the background stand the new residential quarters that extend across the plain.

Panorama de la ville avec la Forteresse d'Alboronoz au premier plan et, en descendant vers la gauche, la cathédrale, l'Hôtel de Ville, les églises Saint-Dominique et Saint-Grégoire-Majeur, et enfin toute la vieille ville adossée à la colline; dans le fond les nouveaux quartiers citadins s'étendant vers la plaine.

Panorama der Stadt mit der Burg von Kardinal Albornoz im Vordergrund; links weiter unten der Dom, das Rathaus, die Kirche zum hl. Dominikus, San Gregorio Maggiore und die ganze über den Hügel hingebreitete Altstadt; im Hintergrund die neuen Stadtviertel, die sich gegen die Ebene hin erstrecken.

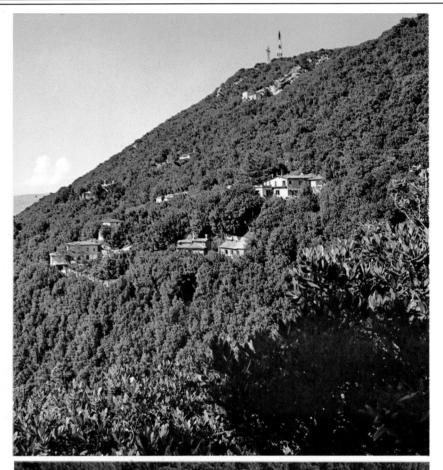

Sopra, Monteluco (m. 800 c.), che domina ad est sulla città, è coperto da un fitto bosco di lecci secolari, sacri in età romana (lucus = bosco sacro). Durante il medioevo ospitò molti eremiti, oggi è un piacevole luogo di villeggiatura.
Sotto, una delle belle ville di Monteluco.
La vita eremitica nel monte iniziò con S. Isacco nel V secolo e fu proseguita dai benedettini dipendenti da S. Giuliano. Anche Michelangelo visitò i monaci nel 1556. Gli eremi vennero poi trasformati in piccoli conventi e quindi in ville.

Above, Monteluco (about 800 metres), dominating over the eastern part of the town and thickly wooded with secular holm oaks, wich in ancient Roman times were considered sacred (lucus: meaning sacred wood).
During the Middle Ages, many hermits lived here but, today, it is a pleasant holiday resort.
Below, one of Monteluco's beatiful villas. Hermit life on this mount began with St. Isaac in the 5th century and was carried on by the Benedictine followers of St. Julian. Michelangelo also visited these monks in 1556. The monasteries were later transformed into small convents and eventually into villas.

Ci-dessus, Monteluco (800 m. env.), qui domine la ville à l'est; il est couvert d'un bois touffu de chênes-verts séculaires, sacrés du temps des romains. Durant le moyen âge, il accueillit nombre d'ermites; c'est aujourd'hui un agréable lieu de villégiature.
Une des villas siècle de Monteluco. La vie des ermites débuta dans la montagne du temps de saint Isaac au Ve siècle et continua avec les Bénédictions dépendant de saint Julien. Michel-Ange rendit visit aux moines en 1556. Les ermitages furent ensuite transformés en de petits couvents, puis en villas.

Oben der Monteluco (800 m Mereschöhe, der die Stadt im Osten beherrscht. Dieses gebirgige Ortsried ist mit einem dichten Eichenbestand bedeckt, und zur Römerzeit galt diese Waldung als heilig (lucus = heiliger Wald). Während des Mittelalters hausten hier viele Einsiedler, aber heute ist Monteluco ein bevorzugter Erholungsort.
Im Bild unten eine der hübschen Villen des Monteluco.

Monteluco, Cippo con iscrizione, copia della Lex Spoletina, il cui originale è al Museo Civico. La legge, del III sec. a.C. è iscritta in latino arcaico per la salvaguardia dei boschi. Sul piedistallo è la traduzione dell'antico testo.

Monteluco, boundary stone with inscription, a copy of the «Lex Spoletina», the original of wich is kept in the Civic Museum. The law for the protection of the woods is written in archaic Latin and dates from the 3rd century B.C.. The translation of the ancient text is inscribed on the pedestal.

Monteluco, Cippe avec inscription, copie de la Lex Spoletina, dont l'original est au Musée Municipal. La loi, du IIIe siècle av. J.-C., est écrite en latin archaique et parle de la sauvegarde des bois. Sur le piédestal est inscrite la traduction de l'ancien teste.

Gedenkstein mit einer Inschrift auf dem Monteluco. Es ist eine Kopie der «Lex Spoletina» (Gesetz von Spoleto), von der dar Original im Städt. Museum verwahrt wird. Dieses Gesetz aus dem 3. Jahrhundert v. chr. ist altlateinisch geschrieben und bezweckt den Schutz der Wälder. Auf dem Sockel ist die Übersetzung des alten Textes zu lesen.

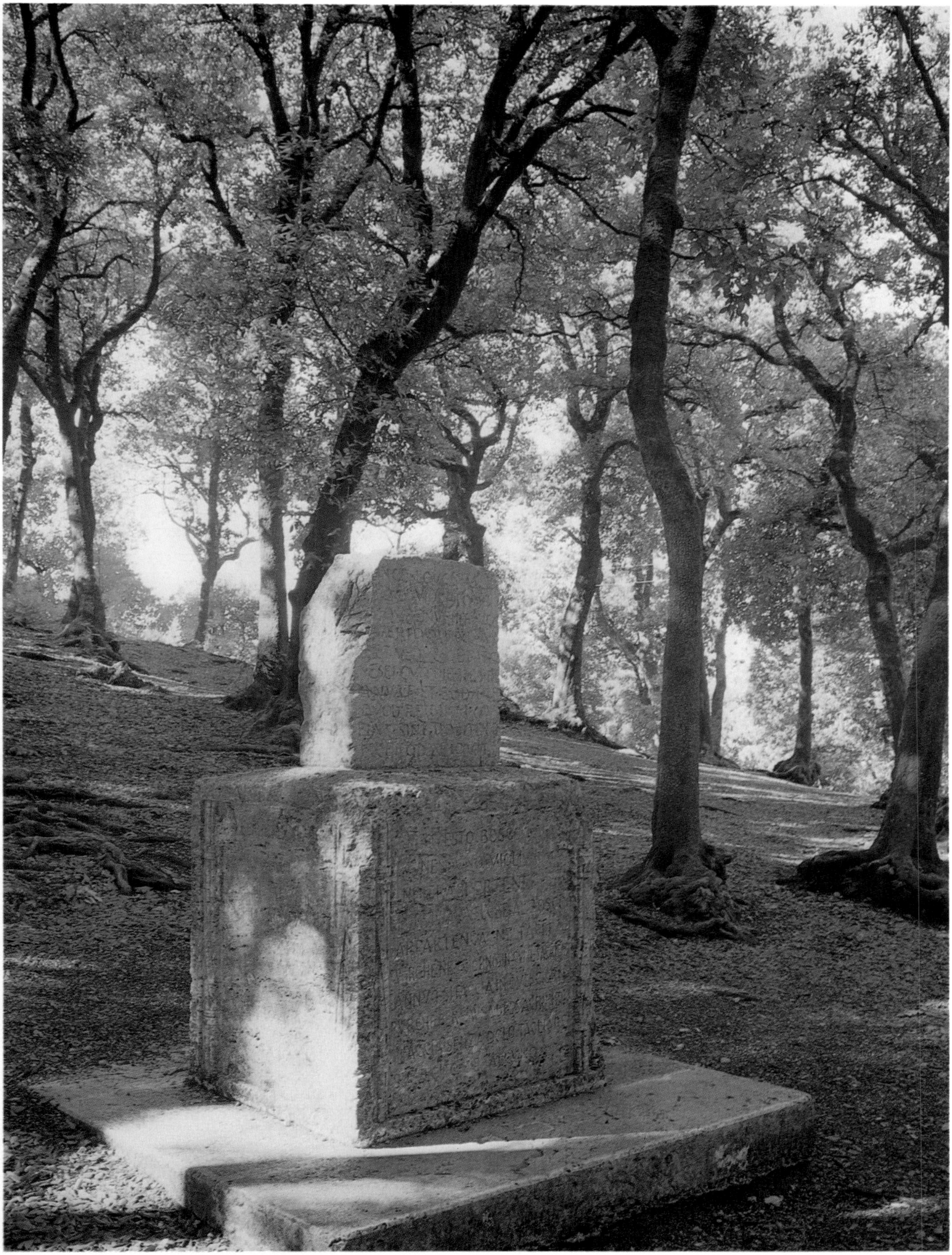

Panorama di Spoleto da Collerisana. E' visibile sullo sfondo la mole verdeggiante del Monteluco, contro la quale si stagliano la Rocca, le torri e i tetti cittadini. In basso è il borgo S. Matteo, detto il «Borgaccio».

Panoramic view of Spoleto from Collerisana. In the background is the green landscape of Monteluco and standing out from this are the Fortress, towers and rooftops of the town houses. Below is the village of St. Matthew, known also as «Borgaccio» (poor village).

Panorama de Spoleto depuis Collerisana. L'on aperçoit dans le fond la hauteur verdoyante du Monteluco, sur lequel se détachent la Forteresse, les tours et les toits de la ville. En bas, s'étend le «bourg» San Matteo, dit le «Borgaccio».

Panorama von Spoleto, von Collerisana aus gesehen. Man sieht im Hintergrund die grünbewaldete Masse des Monteluco, von dem sich die Burg, die Türme und die Dächer der Stadt abheben.
Ganz unten der Vorort S. Matteo, genannt «Borgaccio».

Sopra, Monteluco, Chiesa e Convento di S. Francesco. Il Convento fu fondato nel 1218 dallo stesso santo e rinnovato nei secoli successivi. La piccola chiesa conserva opere d'arte e memorie francescane di notevole importanza.
Sotto, Convento di S. Francesco, corridoio con le cellette fatte costruire da S. Francesco.

«Above, Monteluco, the Church and Convent of St. Francis. The convent was founded in 1218 by the same saint and then renovated in the centuries following. The small church preserves some art works and Franciscan reminders of considerable importance.
Below, Convent of St. Francis, the corridor and cells that St. Francis ordered to be built.

Ci-dessus, Monteluco, Eglise et Couvent de Saint-François.
Le couvent fut fondé en 1218 par saint François lui-même et rénové au cours des siécles suivants. La petite église abrite des oeuvres d'art et des mémoire franciscains d'une importance considérable.
Ci-dessous, Couvent de Saint-François (San Francesco): corridor oú donnent les petites cellules que fit construire saint François.

Oben Monteluco mit der Kirche und dem Kloster zum hl. Franziskus. Das Kloster wurde 1218 von dem Heilige selbst gegründet und in den darauffolgenden Jahrhunderten renoviert. In der kleinen Kirche werden Kunstwerke und Erinnerungsstücke an das franziskanische Leben von erheblicher Bedeutung verwahrt.
Unten das Franziskuskloster: der Korridor mit den Zellen, die der hl. Franz selbst erbauen ließ.

Cortile del Convento di S. Francesco con il pozzo, la cui acqua sarebbe stata fatta sgorgare dal santo stesso.

Courtyard of the Convent of St. Francis with the well, whose water, as legend has it, was made to gush out by the saint himself.

Cour du couvent de Saint-François avec le puits dont l'eau aurait jailli à la suite d'un miracle de saint François.

Der Hof des Klosters des hl. Franziskus mit dem Brunnenschacht, aus dem der Heilige Wasser sprießen ließ, wie man von alters her glaubt.

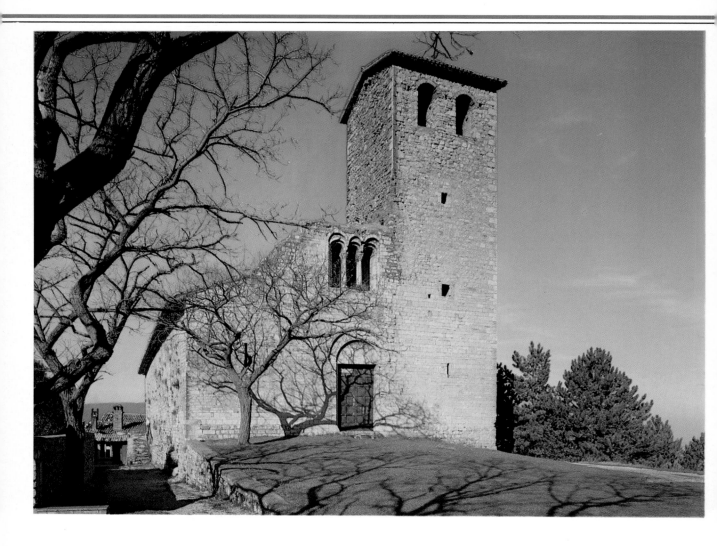

Sopra, Monteluco, Chiesa di S. Giuliano (sec. XIII). Le sue origini sono legate a S. Isacco siro, ma l'edificio attuale è romanico. L'interno è a tre navate divise da tozze colonne e conserva interessanti affreschi.
Sotto, Chiesa di S. Giuliano, Trifora della facciata con archeggiature sovrapposte molto originali.

Above, Monteluco, the Church of St. Julian (12th century). Its origins are linked with St. Isaac Syrius, but the actual buildin is Romanesque. The interior has three naves divided by wide columns and preserves some interesting frescoes.
Below, Church of St. Julian, a three-mullioned window of the facade with a series of very original arches.

Ci-dessus, Monteluco, Eglise Saint-Julien (San Giuliano) (XIIe siècle). Ses origines restent liées à saint Isaac, mais l'édifice actuel est roman. L'intérieur est divisé en trois nefs par des colonnes trapues et se pare d'intéressantes fresques.
Ci-dessous, Eglise Saint-Julien, Fenêtre trilobée de la façade, surmontée d'arcs originaux.

Im Bild oben die Julianus-Kirche aus dem 12. Jahrh. auf dem Monteluco. Die Ursprünge hängen mit dem hl. Isaak zusammen, aber das derzeitige Gebäude ist romanisch.
Das Kircheninnere ist durch plumpe Säulen in drei Schiffe unterteilt und hat noch sehenswerte Fresken aufzuweisen.
Im Bild unten noch einmal die Julianus-Kirche: Dreibogenfenster in der Fassade mit höchst originellen, übereinander angeordneten Zierbögen.

FESTIVAL DEI DUE MONDI

Il Festival dei Due Mondi è la manifestazione culturale piú conosciuta fra quelle ospitate da Spoleto. Nato nel 1958 per iniziativa del Maestro Giancarlo Menotti, offre annualmente a spettatori sempre piú numerosi spettacoli di alto livello artistico nei settori della lirica, prosa, balletto, musica da camera e sinfonica. Tra giugno e luglio i teatri spoletini, le chiese sconsacrate, le piazze si traformano in luoghi teatrali sempre nuovi e affascinanti: sotto, Piazza del Duomo durante il Concerto in Piazza che conclude normalmente il Festival.

The Festival of the Two Worlds is one of Spoleto's cultural events that is the most widely known. It was created in 1958 by the composer, Giancarlo Menotti, and each year its spectators are offered an ever-increasing number of shows, of a very high artistic leve, in the sectors of opera, prose, ballet, chamber and symphony music. During the months of June and Juli Spoleto's theatres, deconsecrated churches and squares are transformed into fascinating and increasingly new theatrical sites: below, Piazza del Duomo during the last concert that normalyy concludes the Festival.

Le Festival des Deux Mondes est la manifestation culturelle la plus connue de toutes celles qu'accueille Spoleto. Fondé en 1958 sur une intitiative du maître Giancarlo Menotti, il offre annuellement à des spectateurs de plus en plus nombreux des spectacles d'un haut niveau artistique dans le domaine de l'opéra, du théâtre, du ballet, de la musique de chambre et de la musique symphonique. Aux mois de juin et juillet les théâtres de Spoleto, les églises qui ne sont plus consacrées, les places se transforment en des scène et des décors toujours nouveaux et fascinants: ci-dessous, piazza del Duomo au cours du concert donnè sur la place, qui conclut normalement le Festival.

Das Festival der zwei Welten ist die bekannteste kulturelle Veranstaltun, die es in Spoleto gibt. Es wurde 1958 auf Veranlassung von Maestro Giancarlo Menotti eingeführt und bietet alljährlich immer zahlreicheren Gästen Vorführungen von hohem künstlerischem Niveau auf dem Gebiet der Opernmusik, des Prosatheaters, des Balletts, der Kammer-und der symphonischen Musik. Von Juni bis Juli verwandeln sich die Theater, die säkularisierten kirchen und die Plätze von Spoleto in immer wieder neue und faszinierende Schauspielstätten: im Bild unten der Domplatz während eines Platzkonzerts, mit dem üblicherweise das Festival abgeschlossen wird.

FOTO DE FURIA

FOTO LUCARINI

Sopra, Spettacolo di danza moderna al Teatro Romano.
Sotto, Concerto finale in Piazza del Duomo.

Above, a modern dance display at Romano Theatre.
Below, the final concert in Piazza del Duomo.

Ci-dessus, spectacle de danse moderne au Théâtre romain.
Ci-dessous, Concert final piazza del Duomo.

Moderner Tanz im Römischen Theater.
Im Bild unten Schlußkonzert auf dem Domplatz.

Spettacoli vari di lirica, balletto e folklore.

A variety of opera, ballet and folklore displays.

Différents spectacles d'opéra, de ballet et de folklore.

Verschiedene Darbietungen von Opernmusik, Ballett und Folklore.

Sopra, Il pubblico ad uno degli ingressi per il concerto finale in Piazza del Duomo.
Sotto, La Nuova Compagnia di Canto Popolare in Piazza del Mercato.

Above, members of the public at one of the entrances for the final concert in Piazza del Duomo.
Below, the New Company of Folk Singers in Piazza del Mercato.

Ci-dessus, le public à l'une des entrées au concert final, piazza del Duomo.
Ci-dessous la «Nuova Compagnia di Canto Popolare», piazza del Mercato.

Im bild oben das Publikum am Eingang zu einem Schlußkonzert auf dem Domplatz.
Im Bild unten der neue Volksgesangsverein auf dem Marktplatz.

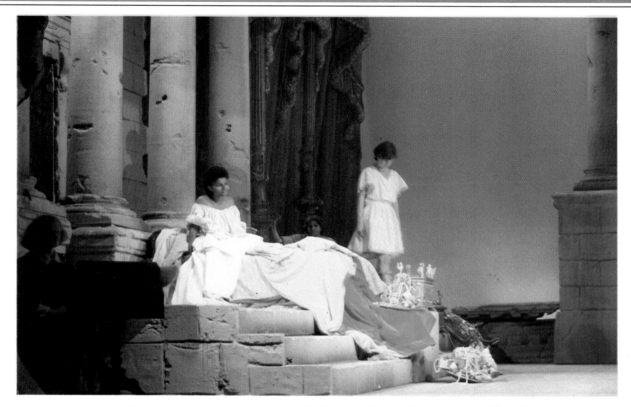

Due momenti dell'Incoronazione di Poppea di Claudio Monteverdi, uno degli spettacoli piú applauditi del 1979.

Two moments from one the most applauded shows of 1979: the Coronation of Poppea by Claudio Monteverdi.

Deux scèenes du «Couronnement de Poppée», de Claudio Monteverdi, l'un des spectacles les plus applaudis de 1979.

Zwei Ausschnitte aus der Szene der Krönung der Poppea von Claudio Monteverdi; das war eine der Vorführungen, für die 1979 der meiste Applaus gespendet wurde.

Sopra, Chiesa di S. Paolo inter vineas (sec. XIII). Costruita in stile romanico, fu consacrata da Gregorio IX nel 1234. l'interno, a tre navate divise da colonne con capitelli corinzi, conserva un importante ciclo di affreschi del sec. XIII.
Sotto, Chiesa di S. Paolo, Rosone dagli ornamenti molto raffinati e dalle proporzioni slanciate.

Above, Church of St. Paul «Inter vineas» (13th century). Constructed in the Romanesque style and consecrated by Gregory IX in the year 1234. The interior has three naves divided by columns with Corinthian capitals, and preserves an important series of frescoes dating from the 13th century.
Below, Church of St. Paul, the rose-window with its huge dimensions and fine, rich decorations.

Ci-dessus, Eglise Saint-Paul inter vineas (XIIIe siècle).
Construite en style roman, elle fut consacrèe par Grégoire IX en 1234. L'intérieur, à trois nefs divisées par des colonnes aux chapiteaux corinthiens, se pare d'un important cycle de fresques du XIIIe siècle.
Ci-dessous, Eglise Saint-Paul (San Paolo), Rosace aux ornements très raffinés et aux proportions élancées.

Im Bild oben die Kirche «S. Paolo inter vineas» (im Rebengelände - 13. Jahrh.). Das Gotteshaus wurde im romanischen Stil erbaut, von Gregor dem IX. im Jahr 1234 eingeweiht. Das Innere ist durch Säulen mit korinthischen Kapitellen in drei Schiffe unterteilt, und da ist noch ein sehenswerter Freskenzyklus aus dem 13. Jahrh. erhalten.
Im Bild unten die Fensterrose der Pauluskirche mit raffinierten Zieraten und sehr ausgewogenen Proportionen.

Anfiteatro romano (II sec.d.C.). Situato al di fuori della cinta muraria romana nella parte bassa della città, misura negli assi m. 115 × 85. Già usato per i giochi gladiatorii fu trasformato da Totila in fortezza; nel sec. XIII le arcate furono chiuse e adibite a botteghe, mentre nel '300 venne usato gran parte del materiale per costruire la Rocca. Oggi restano poche arcate visibili all'interno della caserma Minervio.

Roman amphitheatre (2nd century A.D.). Situated outside the Roman walls in the lower part of the town and measuring 115 by 85 at the axis. It was once used for the gladiator games and later transformed into a Fort by Totila; in the 13th century the arcades were closed and turned into shops, while in the 14th century most of its building material was used to build the Fortress. Today, very few arcades are visible inside the Minervio Barracks.

Amphithéâtre romain (IIe siècle apr.J.-C.). Situé en-dehors de l'enceinte des murs romains dans la ville basse, il mesure quant à ses axes 115 m × 85 m. Utilisé à l'origine pour les jeux des gladiateurs, il fut transformé par Totila en forteresse; au XIIIe siècle, ses arcades furent fermées pour servir de boutiques, tandis qu'au XIVe siècle, ses arcades furent fermés pour servir de boutiques, tandis qu'au XIVe siécle, ses pierres furent en grande partie utilisées pour l'édification de la Forteresse. De nos jours il ne reste que quelques arcades encore visibles à l'intérieur de la caserne Minervio.

Das Römische Amphitheater (2. Jahrh. n. Chr.). Es liegt außerhalb der römischen Stadtmauern im unteren Teil der Stadt und mißt seinen Achsen nach 115 × 85 m. Es diente einst für die Kämpfe der Gladiatoren, wurde aber von Kaiser Totila in eine Feste umgewandelt. Im 13. Jahrh. mauerte man die Bögen zu, um Werkstätten und Läden zu gewinnen; im 14. Jahrhundert benutzte man einen Großteil des Materials für den Bau der Burg. Heute sind nur noch wenige Bögen im Inneren der Minervio-Kaserne zu sehen.

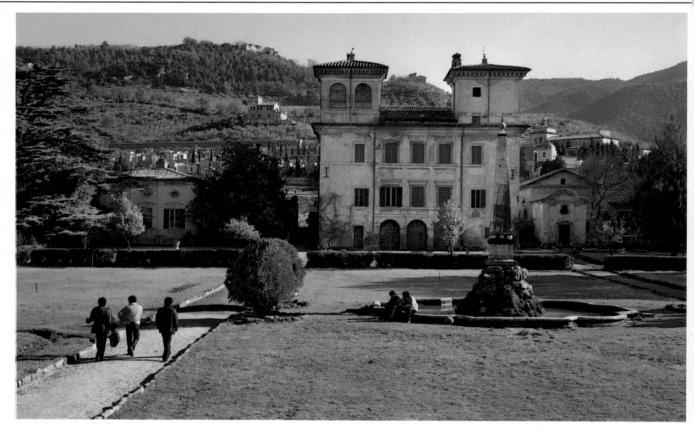

Sopra, Villa Redenta. Ricostruita su un edificio del XVII sec. verso la fine del Settecento, deve il suo nome al fatto che ritornò una seconda volta in possesso dei Marignoli, dopo la vendita a Leone XII.
Sotto, Villa Redenta, fontana con obelisco e sullo sfondo il teatrino all'aperto. Il bellissimo parco circostante, ornato di finte rovine secondo il gusto neoclassico, è oggi aperto al pubblico.

Above, Redenta Villa. It was rebuilt over a 17th century buildin towards the end of the 18th century and takes its name from the fact that it returned for the second time in the Marignoli family's possession, after having being sold to Leone XII.
Below, Redenta Villa, the fountain with an obelisk and the oper-air theatre in the background. Surrounding the villa is a beatiful park adorned with imitation ruins accordin to the Neo-Classic style and, today it is open to the public.

Ci-dessus, Villa Redenta. Reconstruite sur un édifice du XVIIe siècle vers la fin du XVIIIe, elle doit son nom au fait qu'elle redevint une nouvelle fois la possession des Marignoli, après sa vente à Léon XII.
Ci-dessous, Villa Redenta, fontaine avec obélisque, et, dans le fond, le petit théâtre en plein air. le splendide parc environnant, orné de fausses ruines, selon le goût néoclassique, est aujourd'hui ouvert au public.

Im Bild oben die «Villa Redenta». Sie wurde gegen Ende des 18. Jahrh. an der Stelle eines Gebäudes aus dem 17. Jahrh. errichtet, und ihr Name ist darauf zurückzuführen, daß sie nach einem Verkauf an Leo XII. ein zweites Mal in den Besitz des Geschlechts der Marignoli gelangte.
Im Bild unten wieder die Villa Redenta: der Brunnen mit einem Obelisk und im Hintergrund das Freilichttheater.
Der prächtige Park, der die Villa umgibt, it mit fingierten Ruinen nach dem neoklassischen Geschmack geziert und jetzt für die Offentlichkeit zugänglich.

Scorcio caratteristico di Spoleto con l'abside della ➤ Chiesa di S. Nicolò, Via Cecili e in fondo il Palazzo Pompili e la Torre dell'Olio.

A characteristic view of Spoleto with the apse of the Church of St. Nicholas, Via Cecili and in the background, Palazzo Pompili and the Oil Tower.

Un aperçu caractéristique de Spoleto, avec l'abside de l'église Saint-Nicolas (San Niccolò), Via Cecili, et au fond, le Palais Pompilj et la Tour dite «Torre dell'Olio».

Eine charakteristische Teilansicht von Spoleto mit der Apsis der Nikolaus-Kirche, der Via Cecili und ganz hinten dem Palazzo Pompilij und dem «Olturm» (Torre dell'Olio).

Sopra, Tempietto sul Clitumno presso Pissignano (sec. V).
Sotto, Fonti del Clitumno presso Campello. Questa sorgente di acqua freschissima, celebrata nei secoli da Virgilio, Claudiano, Byron e Carducci, è tuttora uno dei luoghi piú suggestivi dei dintorni di Spoleto.

Above, a Temple on the Clitumno near Pissignano (5th century).
Below, the Clitumno spings near Campello. This spring of fresch water, renowned over the centuries by Virgil, Claudiano, Byron and Carducci, still remains one of the most suggestive sites of Spoleto's surroundings.

Ci-dessus, Petit temple sur le Clitumne, près de Pissignano (V siècle).
Ci-dessous, Sources du Clitumne près de Campello. Cette source d'eau très fraîche, célébrée au cours des siècles par Virgile, Claudien, Byron et Carducci, demeure encore aujord'hui l'un des lieux les plus enchanteurs des environs de Spoleto.

Oben der Kleine Tempel auf dem Clitumno bei Pissignano (5 Jahrh.).
Unten die Quellen des Clitumno bei Campello. Diese überaus frischen Quellen, die vor Jahrhunderten schon Vergil, Claudianus, dann Byron und Carducci besangen, zählen heute noch zu den suggestivsten Motiven in der Umgebung von Spoleto.

Tempietto sul Clitunno (sec. V). L'edificio, sorto in età paleocristiana, è costruito in stile classico ad imitazione dei templi romani. Si ispira nella decorazione alla Basilica di S. Salvatore di Spoleto, pur essendo posteriore ad essa. In basso scorre il fiume Clitmno, già sacro ai pagani, che nasce dalle omonime sorgenti.

Temple on the Clitumno (5th century). This buildin, dating from the Paleochristian era, was constructed in the Classic style imitating the Roman temples. Its decoration is similar to the Basilica of St. Salvatore of Spoleto, in spite of being of an earlier date. Below runs the river Clitumno, which was once sacred to the pagans and which flows from the springs of the same name.

Petit temple sur le Clitumne (Ve siècle). L'édifice, érigé à une époque paléochrétienne, a été bâti en style classique à l'instar des temples romains. Il s'inspire, quant à sa décoration, de la basilique Saint-Sauveur (San Salvatore) de Spoleto et il remonte à une date posterieure. En bas courent les eaux du Clitumne, autrefois sacrées pour les païens, qui aillit des sources homonymes.

Der kleine Tempel auf dem Clitumno (5. Jahrh). Das Gebäude entstand in frühchristlicher Zeit, der klassische Stil ist eine Nachahmung der römischen Tempel. Die Dekore sind denjenighen der Basilika S. Salvatore von Spoleto abgeschaut. Ganz unten fließt der Clitumno-Fluß, der schon den heiden heilig war, und der den gleichnamigen Quellen entspringt.

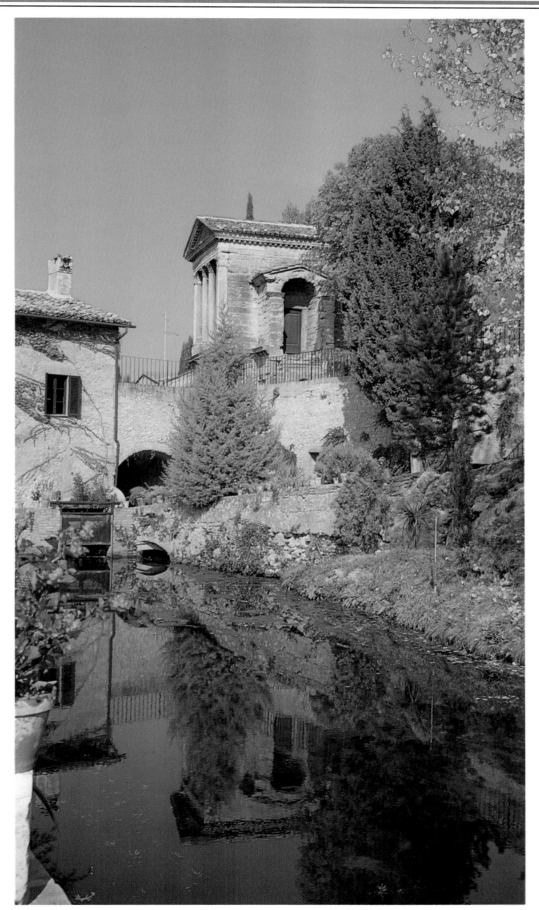

Fonti del Clitmno presso Campello. Il lago trasparentissimo, nel quale si rispecchiano i salici piangenti, è una piccola oasi incontaminata, famosa per la delicatezza unica e suggestiva del paesaggio.

Clitumno Springs near Campello. The crystal-clear lake, with the mirrored image of the weeping willows, is a small, virgin oasis famous for its unique delicateness and suggestive landscape.

Sources du Clitumne prés de Campello. Le lac aux eaux transparentes, où se reflètent les saules pleureurs, est une petite et pure oasis, célèbre pour la délicatesse suggestive de son site.

Die Quellen des Clitumno bei Campello. Der überaus durchsichtige See, in dem sich Trauerweiden spiegeln, ist eine unversehrte Oase, berühmt ob des einmaligen Reizes der umliegenden Landschaft.

Sopra, Viale Trento e Trieste. Sorto nel 1860 in occasione della costruzione della stazione ferroviaria, è oggi un'arteria importantissima della città bassa, fiancheggiata da moderne costruzioni.
Sotto, Via Porta Fuga, caratteristica strada spoletina con edifici medievali e cinque-centeschi, dalle tipiche finestre arcuate in cotto. la via prende nome dalla porta vicina, intitolata alla fuga di Annibale da Spoleto nel 217 a.C.

Above, Viale Trento and Trieste. It was opened in 1860 in the occasion of the construction of the railway station and, today, it is an important line of communications for the lower part of the town, flanked by modern buildings.
Below, Via Porta Fuga, a characteristic Spoleto street with medieval and 16th century buildings that have those typical arched windows made of brick. The street takes its name from the nearby Gate entitled «Hannibal's flight from Spoleto in 217 B.C.».

Ci-dessus, Viale Trento e Trieste. Créé en 1860 à l'occasion de la construction de la gare des chemins de fer, il est devenu aujourd'hui l'une des plus importantes artèe-res de la ville basse, bordée d'immeubles modernes.
Ci-dessous, Via Porta Fuga, rue de Spoleto caractéristique pour ses maisons moyenâ-geuses et du XVIe siècle, aux fenêtres typiques encadrées d'arcs en brique. La rue tire son nom de la porte située non loin de là évoque la fuite d'Hannibal de Spoleto en 217 av.J.-C.

Oben die Alle «Viale Trento e Trieste». Sie Wurde 1860 anläßlich des Baues des Bahnhofs angelegt und ist heute eine überaus wichtige Verkehrsader des unteren Stadtteils, mit modernen Bauten zu den beiden Seiten.
Im Bild unten die Straße Porta Fuga, charakteristisch für Spoleto, mit ihren mittelalter-lichen Gebäuden und solchen aus dem 16. Jahrhundert, mit den typischen Bogenfen-stern aus Backstein. Die Straße ist nach dem nahen Tor benannt, denn durch dieses flüchtete Hannibal im Jahr 217 v. Chr. aus Spoleto (fuga=Flucht).

Caratteristica veduta della Manna d'oro e del Caio Melisso dalla zona della Madonna degli Orti.

A characteristic view of the Golden Manna and Caio Melisso from the around Madonna of the Orchards.

Vue typique de la «Manna d'Oro» et du «Caio Melisso», pris de la zone de la Madonna degli Orti.

Eine charakteristische Ansicht der «Manna d'Oro» und des Caio Melisso, von der Gegend der «Madonna degli Orti» (Madonna der Gärten) aus gesehen.

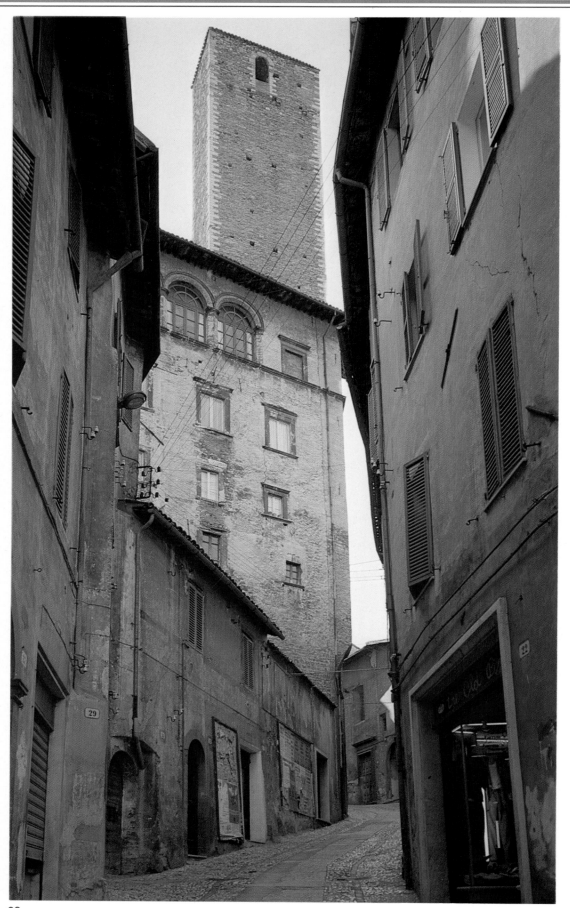

Scorcio della Torre dell'Olio da Via di Porta Fuga.

A glimpse of Oil Tower from Via di Porta Fuga.

Une vue de la tour dite «Torre dell'Olio» prise de via Porta Fuga.

Eine Teilansicht des Olturms von der Via di Porta Fuga aus gesehen.

Il Duomo e la piazza al cadere della sera, illuminati dalla pacata luce delle lanterne.

The Duomo and square in the evening, illuminated by the dim lamplight.

La cathédrale et la place à la tombée du jour, èclairés par la lumière tamisée des lanternes.

Der Dom und der Platz im Abendlicht; die Laternen sind schon angezündet.

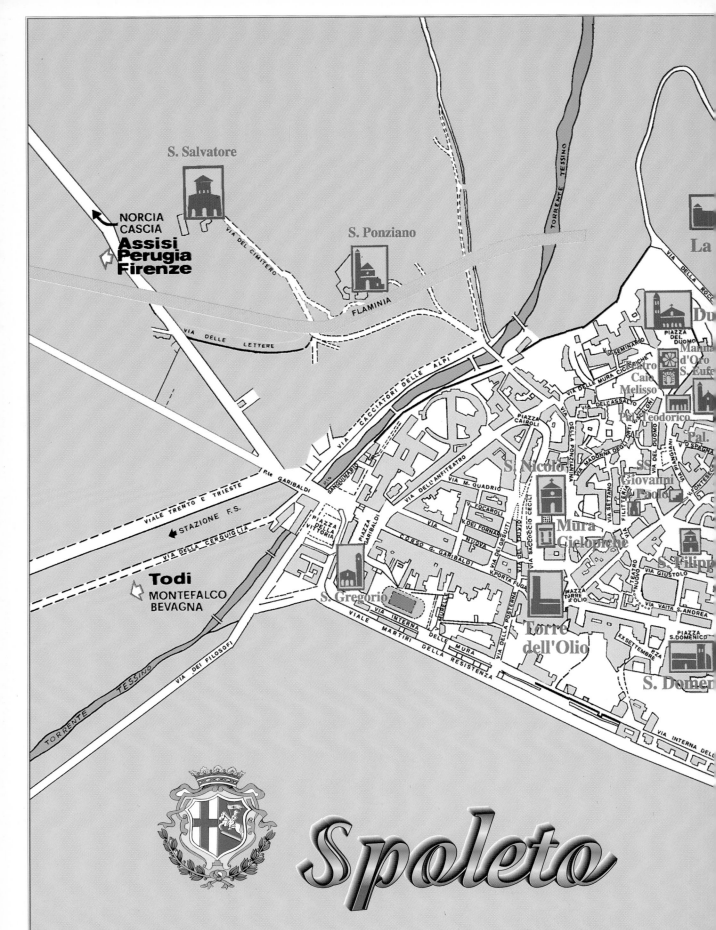

S. Salvatore

NORCIA
CASCIA
**Assisi
Perugia
Firenze**

VIA DEL CIMITERO

S. Ponziano

FLAMINIA

VIA DELLE LETTERE

La

VIA DELLA ROC

Du

PIAZZA
DEL
DUOMO

Marina
d'Oro
S. Eufe

VIA CACCIATORI DELLE ALPI

Teatro
Caio
Melisso

VIA DELL'ASSALTO

Pal. Teodorico

Pal.

V.D SPAGNA

PIAZZA
CAIROLI

VIA DELLA PONZIANINA

VIA MADONNA DEGLI ORTI

VIA SETTIMI

VIA FILITTERIA

V.FONTEBEC

SS
Giovanni
Paolo

P.te GARIBALDI

SANGUINARIO

VIALE TRENTO E TRIESTE

STAZIONE F.S.

VIA DELLA CERQUIGLIA

S. Nicolò

VIA DELL'ANFITEATRO

VIA M. QUADRIO

FOCAROLI

VIA

V. DEI FORNARI

Mura
Ciclopiche

S. Filipp

VIA GIUSTOLO

PIAZZA
DELLA
VITTORIA

PIAZZA
GARIBALDI

C.RSO G. GARIBALDI

NUOVA

V.PORTA FUGA

VIA DEI GESUITI

VIA SACROCCIO CECIT

PIAZZA
TORRE
D'OLIO

TEATRO
NUOVO

VIA VAITA S.ANDREA

Todi
MONTEFALCO
BEVAGNA

S. Gregorio

VIA INTERNA

VIA DELLA POSTERLA

Torre
dell'Olio

XI SETTEMBRE

PIAZZA
S.DOMENICO

PZA

VIALE MARTIRI DELLE MURA DELLA RESISTENZA

S. Dome

VIA DEI FILOSOFI

TORRENTE TESSINO

VIA INTERNA DEL

Spoleto

INDICE

© Copyright by Casa Editrice Plurigraf
S.S. Flaminia, km 90 - 05035 Narni - Terni - Italia
Tel. 0744 / 715946 - Fax 0744 / 722540 - (Italy country code: +39)
Tutti i diritti riservati. Riproduzione anche parziale vietata.
Stampa: 1998 - Plurigraf S.p.A. - Narni